HOFF GERDDI CYMRU

Gomer

Aargraffiad cyntaf – 2000

Adargraffwyd – 2001, 2002, 2005, 2009

ISBN 978 1 85902 823 0

Noddwyd yr adargraffiad hwn gan Lywodraeth Cynulliad Cymru.

Argraffwyd yng Nghymru gan
Wasg Gomer, Llandysul, Ceredigion

DIOLCHIADAU

Hoffai Gwasg Gomer ddiolch o galon i bawb a fu o gymorth wrth ddod â'r casgliad hwn i glawr:

- i'r beirdd a pherchenogion hawlfreintiau'r hoff gerddi hyn, ynghyd â'u cyhoeddwyr gwreiddiol, am eu caniatâd parod i gynnwys y gweithiau yn y gyfrol.

- i staff Cyngor Llyfrau Cymru am fyrdd o gymwynasau.

- i Gwenda Wallace am ei thrylwyredd.

- i Radio Cymru am gynorthwyo gyda chyhoeddusrwydd i'r prosiect.

- i John Lewis, diolch arbennig am y symbyliad.

Yn bennaf oll, hoffem ddiolch i bob un o bobl Cymru a fynegodd eu dewis i ni. Heb y pleidleisiau hynny, ni fyddai wedi bod yn bosibl llunio'r flodeugerdd hon.

RHAGAIR

Pan ymddangosodd cyfrol Saesneg yn dwyn y teitl *The Nation's Favourite Poems* yn 1996 penderfynodd Gwasg Gomer mai da o beth fyddai ceisio cael fersiwn Cymraeg i gyfateb iddi. Wedi'r cyfan, mae gennym, fel Cymry, gyfoeth o farddoniaeth, ac mae beirdd yn dal i ennyn ein parch ac i'n difyrru. Aethom ati felly i holi barn y cyhoedd er mwyn ceisio gweld pa rai yw ein hoff ddarnau ni o farddoniaeth, a chawsom gymorth gan Radio Cymru a'r Cyngor Llyfrau i ledu'r neges. Buom hefyd yn e-bostio ysgolion ledled Cymru, ac yn annog pobl i ddefnyddio'r blwch pleidleisio yn stondin Gomer ar faes Eisteddfod yr Urdd yn Llanbedr Pont Steffan a'r Eisteddfod Genedlaethol yn Ynys Môn.

Cawsom ymateb da, a dewis amrywiol o gerddi'n dod i law. Ar y cyfan, cerddi diweddar neu led-ddiweddar a ddewiswyd, ac felly penderfynwyd i beidio â mynd yn ôl ymhellach na'r bedwaredd ganrif ar bymtheg. Mae un eithriad, sef Englynion i Lys Ifor Hael gan Ieuan Brydydd Hir, sy'n dyddio o ddiwedd y ddeunawfed ganrif. Efallai bod y trawiad enwog 'mieri lle bu mawredd' wedi canu cloch.

O ran y cynnwys, gwlad sy'n dal yn gaeth i'r *Flodeugerdd Gymraeg* ydym mewn llawer ffordd. Cerddi 'och yn y galon' yw llawer o'r cynnwys, a buasai dieithryn sydd am adnabod *psyche*'r Cymry o ddarllen y gyfrol hon yn tybied mai cenedl hiraethus, wladgarol, grefyddol a sentimental ydym ar lawer gwedd. Mae cerddi y cyfeiriodd Gwilym R. Jones atynt yn bur sarhaus fel 'cerddi ram-ti-re y friallen a'r fun lygatddu' yn *Y Faner* yn y pumdegau yn dal i fyw yn ymwybod llawer iawn o'r Cymry hyd heddiw. Mae'n amlwg, hefyd, bod dysgu cerddi yn yr ysgol yn eu gwneud yn annwyl gennym, oherwydd ceir nifer o gerddi yma a fu ar faes llafur TGAU, Lefel O a Lefel A ers blynyddoedd. Dylanwadwyd ar bobl hefyd gan restrau testunau'r prif eisteddfodau yn y blynyddoedd diweddar, a chan flodeugerddi a chasgliadau yn fwy, efallai, na chan ddarllen cyfrolau unigol gan feirdd. Hoffem bwysleisio nad ydym yn ceisio dweud mai dyma gerddi gorau Cymru, er bod y mwyafrif llethol ohonynt yn gerddi a fyddai'n anhepgor mewn unrhyw gasgliad. Yr hyn yr ydym yn gobeithio a geir yma yw'r cerddi mwyaf poblogaidd.

Mae'n bosib y byddwn yn paratoi dilyniant i'r gyfrol hon ymhen rhai blynyddoedd, ac felly mae croeso i chi gysylltu â'r wasg ag unrhyw awgrymiadau. Rydym yn ystyried hefyd gwneud casgliad o hoff gerddi plant Cymru a hoff emynau Cymru, felly mae croeso i chi ddanfon eich enwebiadau ar gyfer y categorïau hyn atom. Cofiwch gynnwys eich enw a'ch cyfeiriad. Byddwn yn falch iawn o glywed eich barn. Ysgrifennwch at Bethan Mair yng Ngwasg Gomer ag unrhyw sylwadau, a'ch dewis chi os na bu i ni ei gynnwys, neu e-bostiwch: gwasg@gomer.co.uk

CYNNWYS

FY NGWLAD

Wylit, wylit, Lywelyn,
Wylit waed pe gwelit hyn.
Ein calon gan estron ŵr,
Ein coron gan goncwerwr,
A gwerin o ffafrgarwyr
Llariaidd eu gwên lle'r oedd gwŷr.

Fe rown wên i'r Frenhiniaeth,
Nid gwerin nad gwerin gaeth.
Byddwn daeog ddiogel
A dedwydd iawn, doed a ddêl,
Heb wraidd na chadwynau bro,
Heb ofal ond bihafio.

Ni'n twyllir yn hir gan au
Hanesion rhyw hen oesau.
Y ni o gymedrol nwyd
Yw'r dynion a Brydeiniwyd,
Ni yw'r claear wladgarwyr,
Eithafol ryngwladol wŷr.

Fy ngwlad, fy ngwlad, cei fy nghledd
Yn wridog dros d'anrhydedd.
O, gallwn, gallwn golli
Y gwaed hwn o'th blegid di.

Gerallt Lloyd Owen allan o'r gyfrol *Cerddi'r Cywilydd*

ETIFEDDIAETH

Cawsom wlad i'w chadw,
darn o dir yn dyst
ein bod wedi mynnu byw.

Cawsom genedl o genhedlaeth
i genhedlaeth ac anadlu
ein hanes ni ein hunain.

A chawsom iaith, er na cheisiem hi,
oherwydd ei hias oedd yn y pridd eisoes
a'i grym anniddig ar y mynyddoedd.

Troesom ein tir yn simneiau tân
a phlannu coed a pheilonau cadarn
lle nad oedd llyn.
Troesom ein cenedl i genhedlu
estroniaid heb ystyr i'w hanes,
gwymon o ddynion heb ddal
tro'r trai.
A throesom iaith yr oesau
yn iaith ein cywilydd ni.

Ystyriwch; a oes dihareb
a ddwed y gwirionedd hwn:
Gwerth cynnydd yw gwarth cenedl
a'i hedd yw ei hangau hi.

HON

Beth yw'r ots gennyf i am Gymru? Damwain a hap
Yw fy mod yn ei libart yn byw. Nid yw hon ar fap

Yn ddim ond cilcyn o ddaear mewn cilfach gefn,
Ac yn dipyn o boendod i'r rhai sy'n credu mewn trefn.

A phwy sy'n trigo'n y fangre, dwedwch i mi.
Pwy ond gwehilion o boblach? Peidiwch, da chwi,

Â chlegar am uned a chenedl a gwlad o hyd;
Mae digon o'r rhain, heb Gymru, i'w cael yn y byd.

Rwyf wedi alaru ers talm ar glywed grŵn
Y Cymry, bondigrybwyll, yn cadw sŵn.

Mi af am dro, i osgoi eu lleferydd a'u llên,
Yn ôl i'm cynefin gynt, a'm dychymyg yn drên.

A dyma fi yno. Diolch am fod ar goll
Ymhell o gyffro geiriau'r eithafwyr oll.

Dyma'r Wyddfa a'i chriw; dyma lymder a moelni'r tir;
Dyma'r llyn a'r afon a'r clogwyn; ac, ar fy ngwir,

Dacw'r tŷ lle'm ganed. Ond wele, rhwng llawr a ne'
Mae lleisiau a drychiolaethau ar hyd y lle.

Rwy'n dechrau simsanu braidd; ac meddaf i chwi,
Mae rhyw ysictod fel petai'n dod drosof i;

Ac mi glywaf grafangau Cymru'n dirdynnu fy mron.
Duw a'm gwaredo, ni allaf ddianc rhag hon.

COFIO

Un funud fach cyn elo'r haul i'w orwel,
  Un funud fwyn cyn delo'r hwyr i'w hynt,
I gofio am y pethau anghofiedig
  Ar goll yn awr yn llwch yr amser gynt.

Fel ewyn ton a dyr ar draethell unig,
  Fel cân y gwynt lle nid oes glust a glyw,
Mi wn eu bod yn galw'n ofer arnom –
  Hen bethau anghofiedig dynol ryw.

Camp a chelfyddyd y cenhedloedd cynnar,
  Anheddau bychain a neuaddau mawr,
Y chwedlau cain a chwalwyd ers canrifoedd,
  Y duwiau na ŵyr neb amdanynt nawr.

A geiriau bach hen ieithoedd diflanedig,
  Hoyw yng ngenau dynion oeddynt hwy,
A thlws i'r glust ym mharabl plant bychain,
  Ond tafod neb ni eilw arnynt mwy.

O genedlaethau dirifedi daear,
  A'u breuddwyd dwyfol a'u dwyfoldeb brau,
A erys ond tawelwch i'r calonnau
  Fu gynt yn llawenychu a thristáu?

Mynych ym mrig yr hwyr, a mi yn unig,
  Daw hiraeth am eich nabod chwi bob un;
A oes a'ch deil o hyd mewn cof a chalon,
  Hen bethau anghofiedig teulu dyn?

DYCHWELYD

Ni all terfysgoedd daear byth gyffroi
　　Distawrwydd nef; ni sigla lleisiau'r llawr
Rymuster y tangnefedd sydd yn toi
　　Diddim diarcholl yr ehangder mawr;
Ac ni all holl drybestod dyn na byd
　　Darfu'r tawelwch nac amharu dim
Ar dreigl a thro'r pellterau sydd o hyd
　　Yn gwneuthur gosteg â'u chwyrnellu chwim.
Ac am nad ydyw'n byw ar hyd y daith
　　O gri ein geni hyd ein holaf gŵyn
Yn ddim ond crych dros dro neu gysgod craith
　　Ar lyfnder esmwyth y mudandod mwyn,
Ni wnawn, wrth ffoi am byth o'n ffwdan ffôl,
Ond llithro i'r llonyddwch mawr yn ôl.

RHOS HELYG

Lle bu gardd, lle bu harddwch,
Gwelaf lain â'i drain yn drwch,
A garw a brwynog weryd,
Heb ei âr, a heb ei ŷd.

A thristwch ddaeth i'r rhostir –
Difrifwch.i'w harddwch hir;
Ei wisgo â brwyn a hesg brau,
Neu wyllt grinwellt y grynnau,
Darnio ei hardd, gadarn ynn,
A difetha'i glyd fwthyn!

Rhos Helyg, heb wres aelwyd!
Heb faes ir, ond lleindir llwyd,
A gwelw waun, unig lonydd,
Heb sawr y gwair, heb si'r gwŷdd.

Eto hardd wyt ti o hyd
A'th oer a diffrwyth weryd;
Mae'n dy laith a diffaith dir
Hyfrydwch nas difrodir –

Si dy nant ar ddistaw nos,
A dwfn osteg dy hafnos;
Aml liwiau'r gwamal ewyn,
Neu lwyd gors dan flodau gwyn,
A'r mwynder hwnnw a erys
Yn nhir llwm y mawn a'r llus.

O'th fro noeth, a'th firain hwyr,
O'th druan egwan fagwyr,
O'th lyn, a'th redyn, a'th rug,
Eilwaith mi gaf, Ros Helyg,
Ddiddanwch dy harddwch hen
Mewn niwl, neu storm, neu heulwen.

Eto mi glywaf ateb
Y grisial li o'r gors wleb
I gŵyn y galon a gâr
Hedd diddiwedd dy ddaear.

D. J. THOMAS

NADOLIG

Gŵyl y cofio yw'r Nadolig
Cofio Crist yn faban Mair,
Cofio'r Ceidwad yn y preseb
Ac yn cysgu yn y gwair.

Daeth angylion i'w foliannu,
Mab y dyn yn Frenin nef,
A'r bugeiliaid a ddaeth yno
Gan ei ogoneddu Ef.

Boed i'r cofio eni eto
Yng nghalonnau dynol-ryw
Y tangnefedd o adnabod
Baban Mair yn faban Duw.

CLYCHAU'R GOG

Dyfod pan ddêl y gwcw,
   Myned pan êl y maent,
Y gwyllt atgofus bersawr,
   Yr hen lesmeiriol baent;
Cyrraedd, ac yna ffarwelio,
   Ffarwelio – och na pharhaent!

Dan goed y goriwaered
   Yn nwfn ystlysau'r glog,
Ar ddôl a chlawdd a llechwedd
   Ond llechwedd lom yr og
Y tyf y blodau gleision
   A dyf yn sŵn y gog.

Mwynach na hwyrol garol
   O glochdy Llandygái
Yn rhwyfo yn yr awel
   Yw mudion glychau Mai
Yn llenwi'r cof â'u canu;
   Och na bai'n ddi-drai!

Cans pan ddêl rhin y gwyddfid
   I'r hafnos ar ei hynt
A mynych glych yr eos
   I'r glaswellt megis cynt,
Ni bydd y gog na'i chlychau
   Yn gyffro yn y gwynt.

Y TLAWD HWN

Am fod rhyw anesmwythyd yn y gwynt,
   A sŵn hen wylo yng nghuriadau'r glaw,
Ac eco lleddf adfydus odlau gynt
   Yn tiwnio drwy ei enaid yn ddi-daw,
A thrymru cefnfor pell ar noson lonydd
    Yn traethu rhin y cenedlaethau coll
      A thrydar yr afonydd
    Yn deffro ing y dioddefiadau oll, –
Aeth hwn fel mudan i ryw rith dawelwch
    A chiliodd ei gymrodyr un ac un,
A'i adael yntau yn ei fawr ddirgelwch
    I wrando'r lleisiau dieithr wrtho'i hun.

Gwelodd hwn harddwch lle bu'i frodyr ef
   Yn galw melltith Duw ar aflan fyd;
Gwrthododd hwn eu llwybrau hwy i nef
   Am atsain ansylweddol bibau hud
A murmur gwenyn Arawn o winllannau
    Yn drwm dan wlith y mêl ar lawr y glyn,
      A neithdar cudd drigfannau
    Magwyrydd aur Caer Siddi ar y bryn.
A chyn cael bedd, cadd eistedd wrth y gwleddoedd
    A llesmair wrando anweledig gôr
Adar Rhiannon yn y perl gynteddoedd
    Sy'n agor ar yr hen anghofus fôr.

NANT Y MYNYDD

Nant y Mynydd groyw loyw,
Yn ymdroelli tua'r pant,
Rhwng y brwyn yn sisial ganu, –
O na bawn i fel y nant!

Grug y Mynydd yn eu blodau,
Edrych arnynt hiraeth ddug
Am gael aros ar y bryniau
Yn yr awel efo'r grug.

Adar mân y Mynydd uchel·
Godant yn yr awel iach,
O'r naill drum i'r llall yn hedeg, –
O na bawn fel 'deryn bach!

Mab y Mynydd ydwyf innau
Oddi cartref yn gwneud cân,
Ond mae 'nghalon yn y mynydd
Efo'r grug a'r adar mân.

GAIL, FU FARW (*'She was free to die'*)

Ar ôl gweld ffilm deledu (*documentary*) dan y teitl *Gail is Dead* – hanes
bywyd merch ifanc a fu farw o effaith cyffuriau.

Mor ddi-ystyr fu ei mynd, a'i dyfod.
Y ferch lwyd
Fu'n eitha niwsans i bawb
O'r dechrau.
Parselwyd o le-rheilings i le-tan-glo
Ar y dyddiad-a'r-dyddiad.
Cartref plant. Borstal. Carchar.
Syllodd ar fyd
Trwy fyd
Na faliai.

Ei llais, mor dawel.
'Hapus? Mae'n siŵr.
Yn blentyn . . .'
Llais na chredai ei eiriau ei hun.

Ffug-hapusrwydd heroin,
Ac yna'i harch
Yn diflannu i dywyllwch taclus, mesuriedig,
I'w llosgi.
('Fe ddowch i'm hangladd?')
Llafargan gysurlon eglwyswr
Dieithr.
Ei ffrindiau
Od
Yn ysgwyd llaw.

Ac allan â hwy, i grio ar gornel y stryd
Drosti hi
A throstynt eu hunain.

Gollyngwyd hi'n rhydd,
Yn rhydd i ddewis marw.

Mor ddi-ystyr fu ei mynd, a'i dyfod.

Y LLWYNOG

Ganllath o gopa'r mynydd, pan oedd clych
   Eglwysi'r llethrau'n gwahodd tua'r llan,
Ac anhreuliedig haul Gorffennaf gwych
   Yn gwahodd tua'r mynydd, – yn y fan,
Ar ddiarwybod droed a distaw duth,
   Llwybreiddiodd ei ryfeddod prin o'n blaen;
Ninnau heb ysgog a heb ynom chwyth
   Barlyswyd ennyd; megis trindod faen
Y safem, pan ar ganol diofal gam
   Syfrdan y safodd yntau, ac uwchlaw
Ei untroed oediog dwy sefydlog fflam
   Ei lygaid arnom. Yna heb frys na braw
Llithrodd ei flewyn cringoch dros y grib;
Digwyddodd, darfu, megis seren wib.

RHYFEL

Gwae fi fy myw mewn oes mor ddreng,
    A Duw ar drai ar orwel pell;
O'i ôl mae dyn, yn deyrn a gwreng,
    Yn codi ei awdurdod hell.

Pan deimlodd fyned ymaith Dduw
    Cyfododd gledd i ladd ei frawd;
Mae sŵn yr ymladd ar ein clyw,
    A'i gysgod ar fythynnod tlawd.

Mae'r hen delynau genid gynt
    Ynghrog ar gangau'r helyg draw,
A gwaedd y bechgyn lond y gwynt
    A'u gwaed yn gymysg efo'r glaw.

ABERDARON

Pan fwyf yn hen a pharchus,
Ac arian yn fy nghod,
A phob beirniadaeth drosodd
A phawb yn canu 'nghlod,
Mi brynaf fwthyn unig
Heb ddim o flaen ei ddôr
Ond creigiau Aberdaron
A thonnau gwyllt y môr.

Pan fwyf yn hen a pharchus,
A'm gwaed yn llifo'n oer,
A'm calon heb gyflymu
Wrth wylied codi'r lloer;
Bydd gobaith im bryd hynny
Mewn bwthyn sydd â'i ddôr
At greigiau Aberdaron
A thonnau gwyllt y môr.

Pan fwyf yn hen a pharchus
Tu hwnt i fawl a sen,
A'm cân yn ôl y patrwm
A'i hangerdd oll ar ben;
Bydd gobaith im bryd hynny
Mewn bwthyn sydd â'i ddôr
At greigiau Aberdaron
A thonnau gwyllt y môr.

Oblegid mi gaf yno
Yng nghri'r ystormus wynt
Adlais o'r hen wrthryfel
A wybu f'enaid gynt.
A chanaf â'r hen angerdd
Wrth syllu tua'r ddôr
Ar greigiau Aberdaron
A thonnau gwyllt y môr.

RHYDCYMERAU

Plannwyd egin coed y trydydd rhyfel
Ar dir Esgeir-ceir a meysydd Tir-bach
Ger Rhydcymerau.

Rwy'n cofio am fy mam-gu yn Esgeir-ceir
Yn eistedd wrth y tân ac yn pletio'i ffedog;
Croen ei hwyneb mor felynsych â llawysgrif Peniarth,
A'r Gymraeg ar ei gwefusau oedrannus yn Gymraeg Pantycelyn;
Darn o Gymru Biwritanaidd y ganrif ddiwethaf ydoedd hi.
Roedd fy nhad-cu, er na welais ef erioed,
Yn 'gymeriad'; creadur bach, byw, dygn, herciog,
Ac yn hoff o'i beint;
Crwydryn o'r ddeunawfed ganrif ydoedd ef.
Codasant naw o blant,
Beirdd, blaenoriaid ac athrawon Ysgol Sul,
Arweinwyr yn eu cylchoedd bychain.

Fy Nwncwl Dafydd oedd yn ffermio Tir-bach,
Bardd gwlad a rhigymwr bro,
Ac yr oedd ei gân i'r ceiliog bach yn enwog yn y cylch:
'Y ceiliog bach yn crafu
    Pen-hyn, pen-draw i'r ardd'.
Ato ef yr awn ar wyliau haf
I fugeilio defaid ac i lunio llinellau cynghanedd,
Englynion a phenillion wyth llinell ar y mesur wyth-saith.
Cododd yntau wyth o blant,
A'r mab hynaf yn weinidog gyda'r Methodistiaid Calfinaidd,
Ac yr oedd yntau yn barddoni.
Roedd yn ein tylwyth ni nythaid o feirdd.

Ac erbyn hyn nid oes yno ond coed,
A'u gwreiddiau haerllug yn sugno'r hen bridd:
Coed lle bu cymdogaeth,
Fforest lle bu ffermydd,
Bratiaith Saeson y De lle bu barddoni a diwinydda,
Cyfarth cadnoid lle bu cri plant ac ŵyn.
Ac yn y tywyllwch yn ei chanol hi
Y mae ffau'r Minotawros Seisnig;
Ac ar golfenni, fel ar groesau,
Ysgerbydau beirdd, blaenoriaid, gweinidogion ac athrawon
                                          Ysgol Sul

Yn gwynnu yn yr haul,
Ac yn cael eu golchi gan y glaw a'u sychu gan y gwynt.

MEWN DAU GAE

O ba le'r ymroliai'r môr goleuni
Oedd â'i waelod ar Weun Parc y Blawd a Parc y Blawd?
Ar ôl imi holi'n hir yn y tir tywyll,
O b'le deuai, yr un a fu erioed?
Neu pwy, pwy oedd y saethwr, yr eglurwr sydyn?
Bywiol heliwr y maes oedd rholiwr y môr.
Oddi fry uwch y chwibanwyr gloywbib, uwch callwib y
                                        cornicyllod,
Dygai i mi y llonyddwch mawr.

Rhoddai i mi'r cyffro lle nad oedd
Ond cyffro meddwl yr haul yn mydru'r tes,
Yr eithin aeddfed ar y cloddiau'n clecian,
Y brwyn lu yn breuddwydio'r wybren las.
Pwy sydd yn galw pan fo'r dychymyg yn dihuno?
Cyfod, cerdd, dawnsia, wele'r bydysawd.
Pwy sydd yn ymguddio ynghanol y geiriau?
Yr oedd hyn ar Weun Parc y Blawd a Parc y Blawd.

A phan fyddai'r cymylau mawr ffoadur a phererin
Yn goch gan heulwen hwyrol tymestl Tachwedd
Lawr yn yr ynn a'r masarn a rannai'r meysydd
Yr oedd cân y gwynt a dyfnder fel dyfnder distawrwydd.
Pwy sydd, ynghanol y rhwysg a'r rhemp?
Pwy sydd yn sefyll ac yn cynnwys?
Tyst pob tyst, cof pob cof, hoedl pob hoedl,
Tawel ostegwr helbul hunan.

Nes dyfod o'r hollfyd weithiau i'r tawelwch
Ac ar y ddau barc fe gerddai ei bobl,
A thrwyddynt, rhyngddynt, amdanynt ymdaenai
Awen yn codi o'r cudd, yn cydio'r cwbl,

Fel gyda ni'r ychydig pan fyddai'r cyrch picwerchi
Neu'r tynnu to deir draw ar y weun drom.
Mor agos at ein gilydd y deuem –
Yr oedd yr heliwr distaw yn bwrw ei rwyd amdanom.

O, trwy oesoedd y gwaed ar y gwellt a thrwy'r goleuni y galar
Pa chwiban nas clywai ond mynwes? O, pwy oedd?
Twyllwr pob traha, rhedwr pob trywydd,
Ha! y dihangwr o'r byddinoedd
Yn chwiban adnabod, adnabod nes bod adnabod.
Mawr oedd cydnaid calonnau wedi eu rhew rhyn.
Yr oedd rhyw ffynhonnau'n torri tua'r nefoedd
Ac yn syrthio'n ôl a'u dagrau fel dail pren.

Ac am hyn y myfyria'r dydd dan yr haul a'r cwmwl
A'r nos trwy'r celloedd i'w mawrfrig ymennydd.
Mor llonydd ydynt a hithau a'i hanadl
Dros Weun Parc y Blawd a Parc y Blawd heb ludd,
A'u gafael ar y gwrthrych, y perci llawn pobl.
Diau y daw'r dirháu, a pha awr yw hi
Y daw'r herwr, daw'r heliwr, daw'r hawliwr i'r bwlch,
Daw'r Brenin Alltud a'r brwyn yn hollti.

YN NHEYRNAS DINIWEIDRWYDD

Yn nheyrnas diniweidrwydd
Mae'r sêr yn fythol syn;
Mae miwsig yn yr awel,
A bro tu hwnt i'r bryn.
Yn nheyrnas diniweidrwydd
Mae'r nef yn un â'r rhos;
Mawreddog ydyw'r mynydd,
A sanctaidd ydyw'r nos.

Yn nheyrnas diniweidrwydd
Mae rhywbeth gwych ar droed;
Bugeiliaid ac angylion
A ddaw i gadw oed.
Mae dyn o hyd yn Eden,
A'i fyd, di-ofid yw;
Mae'r presesb yno'n allor,
A'r Baban yno'n dduw.

Yn nheyrnas diniweidrwydd
Mae pawb o'r un un ach;
Pob bychan fel pe'n frenin,
Pob brenin fel un bach.
Mae'r ych a'r ebol-asyn,
Y syml a'r doeth yn un;
A'r thus a'r myrr a'r hatling
Heb arwydd p'un yw p'un.

Yn nheyrnas diniweidrwydd
Mae pibydd i bob perth;
Ac nid oes eisiau yno,
Am nad oes dim ar werth.

Mae'r drysau i gyd ar agor,
A'r aur i gyd yn rhydd;
Mae perlau ym mhob cragen,
A gwyrthiau ym mhob gwŷdd.

Yn nheyrnas diniweidrwydd
Mae'r llew yn llyfu'r oen;
Ni pherchir neb am linach,
Na'i grogi am liw ei groen.
Mae popeth gwir yn glodwiw,
A phopeth gwiw yn wir;
Gogoniant Duw yw'r awyr,
Tangnefedd Duw yw'r tir.

Yn nheyrnas diniweidrwydd –
Gwyn fyd pob plentyn bach
Sy'n berchen llygaid llawen
A phâr o fochau iach!
Yn nheyrnas diniweidrwydd –
Gwae hwnnw, wrth y pyrth;
Rhy hen i brofi'r syndod,
Rhy gall i weld y wyrth!

Y GŴR SYDD AR Y GORWEL

Nid eiddil pob eiddilwch,
Tra dyn, nid llychyn pob llwch.
Ac am hynny, Gymru, gwêl
Y gŵr sydd ar y gorwel,
Y miniog ei ymennydd,
Y ffŵl anfeidrol ei ffydd.

Ar ei wedd mae ôl breuddwyd,
Yn y llais mae'r pellter llwyd
Ond ei ddysg a'i ddistaw ddod
Ni wybu ei gydnabod,
Fel y Gŵr eithafol gynt
Fu ar drawst farw drostynt.

Y gwrol un a gâr wlad
A gwerin na fyn gariad.
Naddodd ei galon iddi
A chell oedd ei diolch hi.
Am wir act o Gymreictod
Ennill ei chledd yn lle 'i chlod.

Gymru ddifraw, daw y dydd
Y gweli dy gywilydd.
Ni all sŵn ennill senedd,
Ni ddaw fyth heb newydd fedd.
Ac am hynny, Gymru, gwêl
Y gŵr sydd ar y gorwel.

Gerallt Lloyd Owen allan o'r gyfrol *Cerddi'r Cywilydd*

I. D. HOOSON

Y PABI COCH

Roedd gwlith y bore ar dy foch
Yn ddafnau arian, flodyn coch,
A haul Mehefin drwy'r prynhawn
Yn bwrw'i aur i'th gwpan llawn.

Tithau ymhlith dy frodyr fyrdd
Yn dawnsio'n hoyw ar gwrlid gwyrdd
Cynefin fro dy dylwyth glân,
A'th sidan wisg yn fflam o dân.

Ond rhywun â didostur law
A'th gipiodd o'th gynefin draw
I estron fro, a chyn y wawr
Syrthiaist, a'th waed yn lliwio'r llawr.

FAR ROCKAWAY

Dwi am fynd â thi i Far Rockaway,
Far Rockaway,
mae enw'r lle
yn gitâr yn fy mhen, yn gôr
o rythmau haf a llanw'r môr:
yn sgwrs cariadon dros goffi cry'
ar ôl taith drwy'r nos mewn pick-up du,
yn oglau petrol ar ôl glaw,
yn chwilio'r lleuad law yn llaw,
yn hela brogaod ar gefnffordd wleb,
yn wefr o fod yn nabod neb:

dwi am fynd â thi i Far Rockaway,
Far Rockaway,
lle mae cwr y ne
yn golchi'i thraed ym mudreddi'r traeth,
ac yn ffeirio hwiangerddi ffraeth,
lle mae enfys y graffiti'n ffin
rhwng y waliau noeth a'r haul mawr blin,
lle mae'r trac yn teithio'r llwybr cul
rhwng gwên nos Sadwrn a gwg y Sul,
a ninnau'n dau yn rhannu baich
ein cyfrinachau fraich ym mraich:

dwi am fynd â thi i Far Rockaway,
Far Rockaway,
lle mae heddlu'r dre
yn sgwennu cerddi wrth ddisgwyl trên
ac yn sgwrsio efo'u gynnau'n glên,
lle mae'r beirdd ar eu hystolion tal
yn cynganeddu ar bedair wal,

yn yfed wisgi efo gwlith,
yn chwarae gwyddbwyll â'u llaw chwith,
mae cusan hir yn enw'r lle –
Far Rockaway, Far Rockaway.

MELIN TRE-FIN

Nid yw'r felin heno'n malu
Yn Nhre-fin ym min y môr,
Trodd y merlyn olaf adref
Dan ei bwn o drothwy'r ddôr.
Ac mae'r rhod fu gynt yn rhygnu
Ac yn chwyrnu drwy y fro,
Er pan farw'r hen felinydd,
Wedi rhoi ei holaf dro.

Rhed y ffrwd garedig eto
Gyda thalcen noeth y tŷ,
Ond ddaw neb i'r fâl â'i farlys,
A'r hen olwyn fawr ni thry;
Lle dôi gwenith gwyn Llanrhian
Derfyn haf yn llwythi cras,
Ni cheir mwy ond tres o wymon
Gydag ambell frwynen las.

Segur faen sy'n gwylio'r fangre
Yn y curlaw mawr a'r gwynt,
Dilythyren garreg goffa
O'r amseroedd difyr gynt:
Ond does yma neb yn malu,
Namyn amser swrth a'r hin
Wrthi'n chwalu ac yn malu,
Malu'r felin yn Nhre-fin.

TŶ'R YSGOL

Mae'r cyrn yn mygu er pob awel groes,
A rhywun yno weithiau'n sgubo'r llawr
Ac agor y ffenestri, er nad oes
Neb yno'n byw ar ôl y chwalfa fawr;
Dim ond am fis o wyliau, mwy neu lai,
Yn Awst, er mwyn cael seibiant bach o'r dre
A throi o gwmpas dipyn, nes bod rhai
Yn synnu'n gweld yn symud hyd y lle;
A phawb yn holi beth sy'n peri o hyd
I ni, sydd wedi colli tad a mam,
Gadw'r hen le, a ninnau hyd y byd, –
Ond felly y mae-hi, ac ni wn paham,
Onid rhag ofn i'r ddau sydd yn y gro
Synhwyro rywsut fod y drws ynghlo.

PECHOD

Pan dynnwn oddi arnom bob rhyw wisg,
Mantell parchusrwydd a gwybodaeth ddoeth,
Lliain diwylliant a sidanau Dysg;
Mor llwm yw'r enaid, yr aflendid noeth;
Mae'r llaid cyntefig yn ein deunydd tlawd,
Llysnafedd bwystfil yn ein mêr a'n gwaed,
Mae saeth y bwa rhwng ein bys a'n bawd
A'r ddawns anwareiddiedig yn ein traed.
Wrth grwydro hyd y fforest wreiddiol, rydd,
Canfyddwn rhwng y brigau ddarn o'r Nef,
Lle cân y saint anthemau gras a ffydd,
Magnificat Ei iechydwriaeth Ef;
Fel bleiddiaid codwn ni ein ffroenau fry
Gan udo am y Gwaed a'n prynodd ni.

Y CUDYLL COCH

Daeth cysgod sydyn dros y waun,
A chri a chyffro lle'r oedd cerdd;
A chwiban gwyllt aderyn du
A thrydar ofnus llinos werdd,
Ac uwch fy mhen ddwy adain hir
Yn hongian yn yr awyr glir.

Fe safai'r perthi ar ddi-hun,
A chlywid sŵn ffwdanus lu
Yn ffoi am noddfa tua'r llwyn
Mewn arswyd rhag y gwyliwr du;
Ac yntau fry yn deor gwae,
A chysgod angau dros y cae.

A minnau yno'n syllu'n syn,
Ar amrant – yr adenydd hir
Dry dan fy nhrem yn flaenllym saeth,
A honno'n disgyn ar y tir;
Ac yna un, a'i wich yn groch,
Yng nghrafanc ddur y cudyll coch.

CYNGOR

Cei roi dy swllt i unrhyw sect neu blaid
Sy'n dal y dylai Cymru fod yn un.
Cei drafod fel ysgolor, os bydd rhaid,
Hanes a llên a chân dy wlad dy hun.
Os byddi yn y cysegr yn cael blas
Ar foliant yn Gymraeg, pob hwyl i ti;
Ni wnei ddim drwg i neb â moddion gras,
Na dim o'i le â siant neu litani.
Ond rhag i bethau fyned yn draed-moch
Wrth drin hanfodion cenedl yn dy blwy',
Gofala di na chodi di dy gloch
Ac enwi'r iaith yn un ohonynt hwn.
Cei ganmol hon fel canmol jŵg ar seld;
Ond gwna hi'n hanfod – ac fe gei di weld.

Y SIPSI

Hei ho, hei-di-ho,
Fi yw sipsi fach y fro,
   Carafán mewn cwr o fynydd,
   Newid aelwyd bob yn eilddydd,
Rhwng y llenni ger y lli,
Haf neu aeaf, waeth gen i,
   Hei ho, hei-di-ho.

Beth os try y gwynt i'r de,
Digon hawdd fydd newid lle,
   Mi ro i'r gaseg yn yr harnes,
   Symud wnaf i gornel gynnes,
Lle bydd nefoedd fach i dri,
Romani a Ruth a mi,
   Hei ho, hei-di-ho.

Nid oes ofyn rhent na thâl
Am y fan lle tannwy' 'ngwâl;
   Golchi 'mrat yn nŵr yr afon
   A'i sychu ar y llwyni gwyrddion,
A phan elo'r dydd i ben,
Mi gaf olau sêr y nen,
   Hei ho, hei-di-ho.

Prin yw'r arian yn y god,
Ond mae amser gwell i ddod,
   Mi rof gariad i hen ferched
   Ac mi werthaf lond y fasged,
Yna'n ôl at Romani
I garafán a garaf i,
   Hei ho, hei-di-ho.

SIR GAERFYRDDIN

Ni wyddom beth yw'r ias a gerdd drwy'n cnawd
Wrth groesi'r ffin mewn cerbyd neu mewn trên:
Bydd gweld dy bridd fel gweled wyneb brawd,
A'th wair a'th wenith fel perthnasau hen;
Ond gwyddom, er y dygnu byw'n y De
Gerbron tomennydd y pentrefi glo,
It roi in sugn a maeth a golau'r ne
A'r gwreiddiau haearn ym meddrodau'r fro.
Mewn pwll a gwaith clustfeiniwn am y dydd
Y cawn fynd atat, a gorffwyso'n llwyr,
Gan godi adain a chael mynd yn rhydd
Fel colomennod alltud gyda'r hwyr;
Cael nodi bedd rhwng plant yr og a'r swch
A gosod ynot ein terfynol lwch.

PLENTYN AR SIGLEN

Fy mhlentyn dwyflwydd, rhwydd yr ei
ymlaen, yn ôl, yn ôl, ymlaen.
Amgenach haf na hwn ni chei,
cyn cloi pob munud yn y maen,
cyn fferru'r breuddwyd, rhwymo ddoe'r
gorfoledd yn y garreg oer.

Tefli'r chwerthiniad dwyflwydd oed
yn belen gron o'm blaen, a gwres
yr haul yn cydio uwch y coed
yn dy chwerthiniad di'n y tes,
a haul ein haf yn taflu'n ôl
dy chwerthin di, dy ffwlbri ffôl.

Eiliadau yw sigladau'r glwyd,
rwyt tithau'n mynd ar bendil cloc;
nid oes a'u deil na rhaff na rhwyd,
ni bydd un eiliad danat toc,
na gorfoleddu dy ddwy flwydd
yn sglein yr haul, na siglo'n rhwydd.

Pan fydd y siglen yn yr ardd
yn siglo'n wag, nes galw'n ôl
oriau ein dyddiau di-wahardd,
y dyddiau digyffelyb, ffôl,
cofiaf dy chwerthin yn fy ngŵydd,
cofio cofleidio dy ddwy flwydd.

CWYN Y GWYNT

Cwsg ni ddaw i'm hamrant heno,
   Dagrau ddaw ynghynt.
Wrth fy ffenestr yn gwynfannus
   Yr ochneidia'r gwynt.

Codi'i lais yn awr ac wylo,
   Beichio wylo mae;
Ar y gwydr yr hyrddia'i ddagrau
   Yn ei wylltaf wae.

Pam y deui, wynt, i wylo
   Ar fy ffenestr i?
Dywed im, a gollaist tithau
   Un a'th garai di?

HIRAETH AM FFALDYBRENIN

Slawer dydd pan grwydrai merlyn
    Wedi cymryd rhaff,
Rhoid ef, hyd nes cael ei berchen,
    Yn y ffald yn saff.
Neu pan gaffai'r ffermwr ddafad
    Ddieithr gyda'i stoc,
Gyrrid hithau i Ffaldybrenin
    At y merlyn broc.

Crwydryn, crwydryn ydwyf finnau
    Fel y ddafad ffôl;
Crwydrais holl aceri Cymru
    Hyd dref a dôl.
Bodlon fyddwn pe dôi rhywun
    O'r hen ardal dlos
I'm rhoi innau'n Ffaldybrenin
    Cyn delo'r nos.

AR BEN Y LÔN

Ar Ben y Lôn mae'r Garreg Wen
   Yr un mor wen o hyd,
A phedair ffordd i fynd o'r fan
   I bedwar ban y byd.

Y rhostir hen a fwria hud
   Ei liwiau drud o draw,
A mwg y mawn i'r wybr a gwyd
   O fwthyn llwyd gerllaw.

Ar Ben y Lôn ar hwyr o haf
   Mi gofiaf gwmni gynt,
Pob llanc yn llawn o ddifyr ddawn
   Ac ysgawn fel y gwynt.

Ar nawn o Fedi ambell dro
   Amaethwyr bro a bryn
Oedd yno'n barnu'r gwartheg blith
   A'r haidd a'r gwenith gwyn.

Ac yma, wedi aur fwynhad
   Tro lledrad ger y llyn,
Bu llawer dau am ennyd fach
   Yn canu'n iach cyn hyn.

O gylch hen Garreg Wen y Lôn
   Bu llawer sôn a si;
Ond pob cyfrinach sydd dan sêl
   Ddiogel ganddi hi.

Y llanciau a'r llancesau glân
　　Oedd gynt yn gân i gyd
A aeth hyd bedair ffordd o'r fan
　　I bedwar ban y byd.

Pa le mae'r gwŷr fu'n dadlau 'nghyd
　　Rinweddau'r ŷd a'r ŵyn?
Mae ffordd yn arwain dros y rhiw
　　I erw Duw ar dwyn.

Fe brofais fyd, ei wên a'i wg,
　　O olwg mwg y mawn,
Gwelais y ddrycin yn rhyddhau
　　Ei llengau pygddu llawn:

Ar Ben y Lôn mae'r Garreg Wen
　　Yr un mor wen o hyd,
A dof yn ôl i'r dawel fan
　　O bedwar ban y byd.

ELLIS HUMPHREY EVANS (HEDD WYN)

ATGO'

Dim ond lleuad borffor
Ar fin y mynydd llwm;
A swn hen afon Prysor
Yn canu yn y cwm.

CILMERI

Fin nos, fan hyn
Lladdwyd Llywelyn.
Fyth nid anghofiaf hyn.

Y nant a welaf fan hyn
A welodd Llywelyn.
Camodd ar y cerrig hyn.

Fin nos, fan hyn
O'r golwg nesâi'r gelyn.
Fe wnaed y cyfan fan hyn.

'Rwyf fi'n awr fan hyn
Lle bu'i wallt ar welltyn,
A dafnau o'i waed fan hyn.

Fan hyn yw ein cof ni,
Fan hyn sy'n anadl inni,
Fan hyn gynnau fu'n geni.

Gerallt Lloyd Owen allan o'r gyfrol *Cerddi'r Cywilydd*

AROS A MYNED

Aros mae'r mynyddau mawr,
 Rhuo trostynt mae y gwynt;
Clywir eto gyda'r wawr
 Gân bugeiliaid megis cynt.
Eto tyf y llygad dydd
 O gylch traed y graig a'r bryn,
Ond bugeiliaid newydd sydd
 Ar yr hen fynyddoedd hyn.

Ar arferion Cymru gynt
 Newid ddaeth o rod i rod;
Mae cenhedlaeth wedi mynd
 A chenhedlaeth wedi dod.
Wedi oes dymhestlog hir
 Alun Mabon mwy nid yw,
Ond mae'r heniaith yn y tir
 A'r alawon hen yn fyw.

YR ARWEINYDD MAWR

O! Fab y dyn, Eneiniog Duw, fy Mrawd
  A'm Ceidwad cry';
Ymlaen y cerddaist dan y groes a'r gwawd,
  Heb neb o'th du.
Cans llosgi wnaeth dy gariad pur bob cam,
Ni allodd angau'i hun ddiffoddi'r fflam.

Cyrhaeddaist ddiben dy anturiaeth ddrud,
  Trwy boenau mawr;
A gwelais Di dan faich gofidiau'r byd
  Yn gwyro i lawr
Ac yn dy ochain dwys a'th ddrylliog lef
Yn galw'r afradloniaid tua thref.

Rho imi'r weledigaeth fawr a'm try
  O'm crwydro ffôl:
I'th ddilyn hyd y llwybrau dyrys du,
  Heb syllu'n ôl.
A moes dy law i mi'r eiddilaf un,
Ac arwain fi i mewn i'th fyd dy Hun.

Tydi yw'r ffordd a mwy na'r ffordd i mi.
  Tydi yw 'ngrym:
Pa les ymdrechu, f'Arglwydd, hebot Ti,
  A minnau'n ddim?
O! rymus Un, na wybu lwfwrhau,
Dy nerth a'm ceidw innau heb lesgáu.

NANT YR EIRA

Mae tylluanod heno yn Nôl-y-garreg-wen,
mae'r glaswellt tros y buarth a'r muriau'n llwyd gan gen,
a thros ei gardd plu'r gweunydd a daenodd yno'u llen.

Tros fawnog lom Cwmderwen, mae'r plu yn amdo gwyn,
a'r ddwy das fel dau lygad nad ydynt mwy ynghyn,
a'r sêr yn llu canhwyllau draw ar allorau'r bryn.

Benwynion gwan y gweunydd, beth yw'r hudoliaeth flin
a droes yn sgrwd bob atgof a'r rhostir hen yn sgrin?
'Dim, namyn gormes Amser a dry bob gwiw yn grin.'

Ni ddychwel yr hen leisiau yn ôl i Fiwla trwy
flin drais y ddwylath gweryd; bu'n ormod iddynt hwy.
Bydd dawel, galon ysig, a phaid â'u disgwyl mwy.

Y mwynder hen a geraist, ffoes ar annychwel hynt,
diflannodd gyda'r hafau bereidd-dra'r amser gynt.
Nid erys dim ond cryndod plu'r gweunydd yn y gwynt.

ADREF

Bu amser pan ddewisais rodio ar led, –
  Gan roddi heibio'm genedigaeth fraint, –
Trwy ddiflanedig ddydd marchogion Cred,
  A thrwy'r distawrwydd lle bu'r twrnamaint.
Cefnais yn ynfyd ar fy oes fy hun,
  Ac megis dewin hen yn bwrw ei hud
Mi atgyfodais lawer eurwallt fun
  O'i thrwmgwsg tawel ger ei marchog mud.
Ond hiraeth doeth y galon adre a'm dug
  Oddi ar ddisberod bererindod serch,
I brofi o'r gwirionedd sy'n y grug,
  Ac erwau crintach yr ychydig gerch.
Digymar yw fy mro trwy'r cread crwn,
Ac ni bu dwthwn fel y dwthwn hwn.

Y BORDER BACH

Gydag ymyl troedffordd gul
A rannai'r ardd yn ddwy,
Roedd gan fy mam ei border bach
O flodau perta'r plwy.

Gwreiddyn bach gan hwn-a-hon
Yn awr ac yn y man,
Fel yna'n ddigon syml y daeth
Yr Eden fach i'w rhan.

A rhywfodd, byddai lwc bob tro,
Ni wn i ddim paham,
Ond taerai 'nhad na fethodd dim
A blannodd llaw fy mam.

Blodau syml pobl dlawd
Oeddynt, bron bob un,
A'r llysiau tirf a berchid am
Eu lles yn fwy na'u llun.

Dacw nhw: y lili fach,
A mint a theim a mwsg;
Y safri fach a'r lafant pêr,
A llwyn o focs ynghwsg,

Dwy neu dair briallen ffel,
A daffodil bid siŵr,
A'r cyfan yn y border bach
Yng ngofal rhyw hen ŵr.

Dyna nhw'r gwerinaidd lu,
Heb un yn gwadu'i ach,
A gwelais wenyn gerddi'r plas
Ym mlodau'r border bach.

O bellter byd rwy'n dod o hyd
I'w gweld dan haul a gwlith,
A briw i'm bron fu cael pwy ddydd
Heb gennad yn eu plith,

Hen estron gwyllt o ddant y llew,
Â dirmyg lond ei wên,
Sut gwyddai'r hen droseddwr hy
Fod Mam yn mynd yn hen?

MAE HIRAETH YN Y MÔR

Mae hiraeth yn y môr a'r mynydd maith,
  Mae hiraeth mewn distawrwydd ac mewn cân,
Mewn murmur dyfroedd ar dragywydd daith,
  Yn oriau'r machlud, ac yn fflamau'r tân;
Ond mwynaf yn y gwynt y dwed ei gŵyn,
  A thristaf yn yr hesg y cwyna'r gwynt,
Gan ddeffro adlais adlais yn y brwyn,
  Ac yn y galon atgof atgof gynt.
Fel pan wrandawer yn y cyfddydd hir
  Ar gân y ceiliog yn y glwyd gerllaw
Yn deffro caniad ar ôl caniad hir
  O'r gerddi agos, nes o'r llechwedd draw
Y cwyd un olaf ei leferydd ef,
A mwynder trist y pellter yn ei lef.

T. GWYNN JONES

BROSÉLIÀWND

Fforest ddychymyg, yn Llydaw, oedd Broséliàwnd. Yno, medd y rhamantau, y carcharwyd Myrddin, y Dewin, tan ei hud ef ei hun.

Brynhawn o'r haf, dros y bryniau'n rhyfedd,
Y daeth rhyw niwl, a'u dieithro'n wylaidd,
Dim ond rhyw lwch fel diamwnt, ar lechwedd,
Neu beilliaid aur yn we am bell diroedd,
Megis, ar gwsg, pe magasai rhyw gysgod
O bethau oedd, ac am byth a huddwyd,
A'u cloi yn nhynged encilion angof –
Y gwawl aur fydd o drigle rhyfeddod
Weithiau'n diengyd, a'i wyrth yn dangos
Addfwyn dawel ymguddfan y duwiau,
Nad oes torri fyth ar ei distawrwydd
Nag aflonyddu ar gyflawn heddwch
Araul hoen ei digyffro lawenydd
Gan eisiau, methu, nag anesmwythyd,
Na mynd yn angof un dim a brofodd
Synhwyrau'r duwiau, o nef na daear.

Ac yn y gwrid, oedd fel cennog rwydwaith,
Yn ara'i nawf rhwng daear a nefoedd,
Adnabu'r Dewin, dan wybr y duwiau,
Fröydd hud ei hiraethus freuddwydion,
Oni cherddai ei groen, hyd ei ffroenau,
Donnog angerdd ei waed yn gwingo;
A galw o eigion ei berlog lygaid
Ddagrau a thanau oedd egr a thyner,
Nwyd anfarwol y bardd am harddwch,
Syberw dywyniad ysbryd awenydd.

A gwyliai yno'n y golau, ennyd,
Fröydd hud ei ddigymar freuddwydion,
Tawel lynnoedd yng nghanol tew lwyni
A rhyw ledrithion o gwrel draethau,
Fel ieuanc fyd o'r nifwl yn cyfodi
A'i sut i foddio rhyw ddistaw 'Fydded'
A dorrai o fodd neu stad ar feddwl,
Neu droeog awen mewn hun dragywydd,
Heb na bwriad na diben i'w beri
Onid bod erddi wneud byd o harddwch!

Ag yntau'n gwylio'r gwawn tenau, golau,
Yn afradloni pob hyfryd luniau,
Yn ei geudod fe welai hen goedwig
A dyfai'n dro, a'i dyfnderau eang
Yn llonydd ddal ei llynnau o ddulas;
O'i mud rigolau tremiai dirgelwch
Esmwyth, hudolus, a maith dawelwch,
Oni phrofodd ryw nwyd a'i gwahoddai
I droi o'i ing i ddyfnder ei hangof.

'Ba ryw antur mynd draw?' ebr yntau,
'Ni ellir â swyn ond twyllo'r synnwyr;
A'r wanc, ail fydd, er rhiniau celfyddyd;
Agosed dagrau i ryw gast digrif,
Agosed difrif i gast diofryd!
Aeth hedd y ffydd, hithau a ddiffoddwyd;
Er hyn, ni ddaw ar yr hen ddyhead
Ynddi âi'n dawel, na hedd na diwedd;
Ba ddim o aberth boddi ymwybod
A'i gymar, ing, yng nghwsg y mawr angof?
Ai gwell yw gwybod trwy golli gobaith
Na thagu anobaith ag anwybod?
Pe na bai gof, oni pheidiai gofid?
Pam y bai gas y dulas dawelwch
Onid i'r sŵn sydd yn hudo'r synnwyr?

Pa les, er hyn, fydd y pleser hwnnw
Na phraw na dal na pharhau ond eiliad?
Fyth wedi'r ing, cyd bo faith, daw'r angof,
I wag a llawn bydd yr un gell, yno.'

A'r Dewin i mewn i'r hud yn myned,
'Broséliàwnd!' eb rhyw isel undon,
A than y dail, yn y syrthni dulas,
O'r mud rigolau tremiai dirgelwch
Esmwyth, hudolus, a maith dawelwch.
Broséliàwnd, lle bu risial lendid
A bryd yr awen ddibryder, ieuanc!
Ei nos oedd dawel, neshaodd y Dewin
I'w min i geisio am hoen neu gysur;
Mab rhiain oedd, heb gamp ar na wyddai
Yn nwyd ei awen, ond hoen y duwiau;
I'w chalon aeth, a'i cheulwyni hithau
A gafael ei hud fyth mwy'n ei gofleidio;
Gwell ydoedd yr hud na gwyllt ddireidi
Hwyl anniddig y gloywon neuaddau,
Lle nad oedd galon nad oedd aflonydd,
Na berw difyrrwch heb wrid oferedd.

Yno, bu dawel wyneb y dewin,
A mwy ni chlywwyd, ni welwyd eilwaith,
Na'i lais na'i wedd drwy lys a neuaddau;
Ni wybu dyn mo'i anwybod yno;
Yno, ni wybu un ei anobaith;
A than y dail, yn y syrthni dulas,
O'r mud rigolau tremiai dirgelwch
Esmwyth, hudolus, a maith dawelwch.

Broséliàwnd, lle bu risial lendid
A bryd yr awen ddibryder, ieuanc!

DIY

Mae angen gwaith ar Neuadd y Gweithwyr,
mae chwyn yn tyfu yng nghraciau ei chrandrwydd;
a llechi'r to wedi'u dwyn –
llechi adeiladau gwag
     yw un o adnoddau naturiol ola'r cwm.

Neuadd, capel, clwb;
hanfodion cymdeithas unwaith,
yn gregyn, yn amgueddfeydd heb ymwelwyr;
fel hen bobl a'u plant wedi'u gadael.
Nid oes gan y gymuned bellach ddigon o'u hangen
i'w cynnal a'u cadw.

Er bod digon o gynnal a chadw'n digwydd yn y cwm.
Mae cannoedd wrthi â morthwyl a llif bob dydd,
ond pawb-drosto'i-hun yw hi bellach;
nid cyd-ddyheu sy'n codi estyniad,
     newid cegin, codi sièd.

Y siopau DIY yw canolfannau newydd
ein hunigoliaeth;
treuliwn oriau o'n hamdden
yn y neuaddau gyrion-tre'
yn prowla fesul un, fesul dau,
hyd ddrysfa o ddewisiadau
a'n byd ar chwâl yn fil o ddarnau bychain
     mewn blychau o'n cwmpas,
fel cyrbibion gwareiddiad.

Dygwn y darnau adref
i breifatrwydd unig ein tai,
ac, â hoelion a glud,
fe geisiwn eu cyfannu.

Â gwe cyd-fyw yn gwanhau,
mae pob dim yn DIY.

AR GYFEILIORN

Gwae i ni wybod y geiriau heb adnabod y Gair
A gwerthu ein henaid am doffi a chonffeti ffair,
Dilyn ar ôl pob tabwrdd a dawnsio ar ôl pob ffliwt
A boddi hymn yr Eiriolaeth â rhigwm yr Absoliwt.

Dynion yn y Deheudir heb ddiod na bwyd na ffag,
A balchder eu bro dan domennydd ysgrap, ysindrins, yslag;
Y canél mewn pentrefi'n sefyllian, heb ryd na symud na sŵn,
A'r llygod boliog yn llarpio cyrff y cathod a'r cŵn.

Y duwiau sy'n cerdded ein tiroedd yw ffortun a ffawd a hap,
A ninnau fel gwahaddod wedi ein dal yn eu trap;
Nid oes na diafol nac uffern o dan loriau papur ein byd,
Diffoddwyd canhwyllau'r nefoedd a thagwyd yr angylion i gyd.

Mae lludw yng ngenau'r genhedlaeth, a chrawn ei bron yn ei
                                                          phoer,
Bleiddiast mewn diffeithwch yn udo am buteindra dwl y lloer;
Neuaddau'r barbariaid dan sang, a'r eglwys a'r allor yn weddw,
Ein llong yn tin-droi yn y niwl, a'r capten a'r criw yn feddw.

Gosod, O Fair, Dy Seren yng nghanol tywyllwch nef,
A dangos a'th siart y llwybr yn ôl at Ei Ewyllys Ef,
A disgyn rhwng y rhaffau dryslyd, a rho dy law ar y llyw,
A thywys ein llong wrthnysig i un o borthladdoedd Duw.

MOELNI

Nid oedd ond llymder anial byd di-goed
O gylch fy ngeni yn Eryri draw,
Fel petai'r cewri wedi bod erioed
Yn hir lyfnhau'r llechweddau ar bob llaw;
A thros fy magu, drwy flynyddoedd syn
Bachgendod yn ein cartref uchel ni,
Ymwasgai henffurf y mynyddoedd hyn,
Nes mynd o'u moelni i mewn i'm hanfod i.
Ac os bydd peth o'm defnydd yn y byd
Ar ôl yn rhywle heb ddiflannu'n llwyr,
A'i gael gan gyfaill o gyffelyb fryd
Ar siawns wrth odre'r Wyddfa 'mrig yr hwyr,
Ni welir arno lun na chynllun chwaith,
Dim ond amlinell lom y moelni maith.

PORTH YR ABER (Detholiad)

Fe ddôi haf a'i ddyddiau hir
Heibio i Borth yr Aber,
A dwylo celyd y cynaeafau
I feddalu eu cyrn yn yr heli.
Ceirt Trelech a siarabangiau'r Tymbl a Phontyberem,
Yn stribed o Bencartws i'r traeth,
A'r Ysgolion Sul yn mabolgampio
Yn rhyddid unwaith-y-flwyddyn
Trywsusau torch, a byns a thywod –
Dydd Iau Mawr.

Ar Ddydd Iau Mawr mewn cart a cheffyl,
Ar Ddydd Iau Mawr mewn hwyl a helbul,
Ar Ddydd Iau Mawr mae pawb yn tyrru
I Borth yr Aber wrth yr heli.

Ar lan y môr mae bwyd yn ffeinach,
Ar lan y môr mae'r te'n flasusach,
Ar lan y môr mae gwraig Penpompren
Yn berwi dŵr a chrasu teisen.

Yn nŵr y môr mae swnd a chregyn,
Yn nŵr y môr mae ambell grancyn,
Yn nŵr y môr mae rhyfeddode
A bois Trelech yn nofio'r tonne.

Mae bois Trelech yn cadw twrw,
Mae bois Trelech yn yfed cwrw,
Mae bois Trelech am ddiwrnod cyfan
Yn dwyno'r dŵr a tharfu'r sgadan.

Mae sgadan ffres ar draeth y Dyffryn,
Mae sgadan ffres yn rot y dwsin,
Mae sgadan ffres a phob rhyw drysor,
Pan fo llongau'r Plas yn bwrw angor.

Ar longau'r Plas mae calch a chwlwm,
Ar longau'r Plas mae morwyr hanswm,
Ar longau'r Plas rwy'n mynd i forio,
Ac ni ddof 'nôl i Gymru eto.

MENNA ELFYN

ER COF AM KELLY
(sgwennwyd ym Melffast)

Geneth naw mlwydd oed
ar gymwynas daith;
peint o laeth gwyn
i gymydog.
Trwy gyrrau'r ffenest
gwyliodd ei mam,
ei gweld yn cerdded
a chwympo;
bwled wedi'i bwrw,
gwydr ei chnawd yn deilchion.

Panig wedi'r poen
'My God, it's only a little girl,'
meddai'r glas filwr.
Moesymgrymodd.
Meidrolodd,
ei mwytho yn ei gledrau.

'Get your dirty hands off,'
medd cymydog mewn cynddaredd.
Y fam yn ymbil
am ei gymorth cyntaf –
            olaf.

Gwisgodd amdani ei ffrog ben-blwydd,
dodi losin yn ei harch,
y tedi budr a anwesodd
            o'i chrud,
ac aeth ar elor
angau ei noson hwyraf allan.

YR ARAD GOCH

Os hoffech wybod sut
  Mae dyn fel fi yn byw,
Mi ddysgais gan fy nhad
  Grefft gyntaf dynol ryw.
Mi ddysgais wneud y gors
  Yn weirglodd ffrwythlon ir,
I godi daear las
  Ar wyneb anial dir.

'Rwy'n gorwedd efo'r hwyr,
  Ac yn codi efo'r wawr,
I ddilyn yr og ar ochor y Glog
  A chanlyn yr arad goch
  Ar ben y mynydd mawr.

Cyn boddio ar eich byd,
  Pa grefftwyr bynnag foch,
Chwi ddylech ddod am dro
  Rhwng cyrn yr arad goch.
A pheidiwch meddwl bod
  Pob pleser a mwynhad
Yn aros byth heb ddod
  I fryniau ucha'r wlad.

Yn ôl eich clociau heirdd
  Bob bore codwch chwi;
Y wawr neu wyneb haul
  Yw'r cloc a'n cyfyd ni.
Y dyddiaduron sydd
  Yn nodi'r haf i chwi,
Ond dail y coed yw'r llyfr
  Sy'n dod â'r haf i ni.

Ni wn i fawr am fyw
    Mewn rhwysg a gwychder byd;
Ond, diolch, gwn beth yw
    Gogoniant bwthyn clyd,
Ac eistedd hanner awr
    Tan goeden ger fy nôr
Pan â yr haul i lawr
    Mewn cwmwl tân i'r môr.

Cerddorion Ewrop ddônt
    I'ch mysg i roddi cân;
'Rwyf innau'n ymfoddhau
    Ar lais y fronfraith lân,
Wrth wrando'r gwcw las
    A'r 'hedydd bychan fry
A gweled Robin Goch
    Yn gwrando'r deryn du.

Ddinaswyr gwaelod gwlad
    A gwŷr y celfau cain,
Pe gwelech Fai yn dod
    Â blodau ar y drain,
Y rhosyn ar y gwrych,
    A'r lili ar y llyn,
Fe hoffech chwithau fyw
    Mewn bwthyn ar y bryn.

Pan rydd yr Ionawr oer
    Ei gaenen ar yr ardd,
Y coed a drônt yn wyn
    Tan flodau barrug hardd;
Daw bargod dan y to
    Fel rhes o berlau pur,
A'r eira ddengys liw
    Yr eiddew ar y mur.

Daw Ebrill yn ei dro,
　　A chydag ef fe ddaw
Disymwth wenau haul
　　A sydyn gawod law;
Fel cyfnewidiog ferch
　　Neu ddyn o deimlad gwan,
Galara'r awyr las
　　A gwena yn y fan.

　　'Rwy'n gorwedd efo'r hwyr,
　　Ac yn codi efo'r wawr,
I ddilyn yr og ar ochor y Glog
　　A chanlyn yr arad goch
　　Ar ben y mynydd mawr.

PWLLDERI

Fry ar y mwni, mae nghatre bach
Gyda'r goferydd a'r awel iach.
Rwy'n gallid watwar adarn y weunydd, –
Y giach, y nwddwr, y sgrâd a'r hedydd;
Ond sana i'n gallid neud telineg
Na nwddi pennill yn iaith y coleg;
A sdim rhocesi pert o hyd
Yn hala goglish trwyddw'i gyd.
A hinny sy'n y'n hala i feddwl
Na sdim o'r awen 'da fi o gwbwl;
Achos ma'r sgwlin yn dal i deiri
Taw rhai fel'na yw'r prididdion heddi.

Rown i'n ishte dŵe uwchben Pwllderi,
Hen gartre'r eryr a'r arth a'r bwci.
Sda'r dinion taliedd fan co'n y dre
Ddim un llefeleth mor wyllt yw'r lle.
All ffrwlyn y cownter a'r brethin ffansi
Ddim cadw'i drâd uwchben Pwllderi.
Ry'ch chi'n sefill fry uwchben y dwnshwn,
A drichid lawr i hen grochon ddwfwn,
A hwnnw'n berwi rhwng creigie llwydon
Fel stwceidi o lâth neu olchon sebon.
Ma' meddwl amdano'r finid hon
Yn hala rhyw isgrid trwy fy mron.

Pert iawn yw 'i wishgodd yr amser hyn, –
Yr eithin yn felyn a'r drisi'n wyn,
A'r blode trâd brain yn batshe mowrion
Ar lechwedd gwyrdd, fel cwmwle gleishon;
A lle mae'r gwrug ar y graig yn bwnge,
Fe dingech fod rhywun yn tanu'r llethre.

Yr haf fu ino, fel angel ewn,
A baich o ribane ar ei gewn.
Dim ond fe fuse'n digon hâl
I wasto'i gifoth ar le mor wâl,
A sbortan wrth hala'r hen gropin eithin
I allwish sofrins lawr dros y dibyn.
Fe bange hen gibidd, a falle boddi
Tae e'n gweld hinny uwchben Pwllderi.

Mae ino ryw bishyn bach o drâth –
Beth all e fod? Rhyw drigen llâth.
Mae ino dŵad, ond nid rhyw bŵer,
A hwnnw'n gowir fel hanner llŵer;
Ac fe welwch ino'r crechi glas
Yn saco'i big i'r pwlle bas,
A chered bant ar 'i fagle hir
Mor rhonc bob whithrin â mishtir tir;
Ond weles i ddim dyn eriŵed
Yn gadel ino ôl 'i drŵed;
Ond ma' nhw'n gweid 'i fod e, Dai Beca,
Yn mentro lawr 'na weithe i wreca.
Ma'n rhaid fod gidag e drâd gafar,
Neu lwybir ciwt trwy fola'r ddeiar.
Tawn i'n gweld rhywun yn Pwllderi
Fe redwn i gatre pentigili.

Cewch yno ryw filodd o dderinod–
Gwilanod, cirillod a chornicillod;
Ac mor ombeidus o fowr yw'r creige
A'r hen drwyn hagar lle ma' nhw'n heide,
Fe allech wrio taw clêrs sy'n hedfan
Yn ddifal o bwti rhyw hen garan;

A gallech dingi o'r gribin uwchben
Taw giar fach yr haf yw'r wylan wen.

A'r mowchedd! Tina gimisgeth o swn!–
Sgrechen hen wrachod ac wben cŵn,
Llefen a whiban a mil o regfeydd,
A'r rheiny'n hego trw'r ogofeydd,
A chithe'n meddwl am nosweth ofnadwi,
A'r morwr, druan, o'r graig yn gweiddi, –
Yn gweiddi, gweiddi, a neb yn aped,
A dim ond hen adarn y graig yn clŵed,
A'r hen girillod, fel haid o githreilied,
Yn weito i'r gole fynd mâs o'i liged.
Tina'r meddilie sy'n dwad ichi
Pan foch chi'n ishte uwchben Pwllderi.

Dim ond un tŷ sy'n agos ato,
A hwnnw yng nghesel Garn Fowr yn cwato.
Dolgâr yw ei enw, hen orest o le,
Ond man am reso a dished o de,
Neu ffioled o gawl, a thina well bolied,
Yn gennin a thato a sêrs ar 'i wmed.
Cewch weld y crochon ar dribe ino,
A'r eithin yn ffaglu'n ffamws dano.
Cewch lond y lletwad, a'i llond hi lweth,
A hwnnw'n ffeinach nag un gimisgeth;
A chewch lwy bren yn y ffiol hefyd
A chwlffyn o gaws o hen gosin hifryd.

Cewch ishte wedyn ar hen sgiw dderi
A chlŵed y bigel yn gweid 'i stori.
Wedith e fowr am y glaish a'r bŵen
A gas e pwy ddwarnod wrth safio'r ŵen;
A wedith e ddim taw wrth tshain a rhaff
Y tinnwd inte i fancyn saff;

64

Ond fe wedith, falle, a'i laish yn crini,
Beth halodd e lawr dros y graig a'r drisi:
Nid gwerth yr ŵen ar ben y farced,
Ond 'i glwed e'n llefen am gal 'i arbed;
Ac fe wedith bŵer am Figel Mwyn
A gollodd 'i fowyd i safio'r ŵyn;
A thina'r meddilie sy'n dwad ichi
Pan foch chi'n ishte uwchben Pwllderi.

YSTRAD FFLUR

Mae dail y coed yn Ystrad Fflur
  Yn murmur yn yr awel,
A deuddeng Abad yn y gro
  Yn huno yno'n dawel.

Ac yno dan yr ywen brudd
  Mae Dafydd bêr ei gywydd,
A llawer pennaeth llym ei gledd
  Yn ango'r bedd tragywydd.

Er bod yr haf, pan ddêl ei oed,
  Yn deffro'r coed i ddeilio,
Ni ddeffry dyn, a gwaith ei law
  Sy'n distaw ymddadfeilio.

Ond er mai angof angau prudd
  Ar adfail ffydd a welaf,
Pan rodiwyf ddaear Ystrad Fflur,
  O'm dolur ymdawelaf.

SEIMON FAB JONA

'Paham y gadewaist dy rwydau a'th gwch
Fab Jona, ar antur mor ffôl?
Gadael dy fasnach a myned ar ôl
Llencyn o Saer o Nasareth dref;
Gadael y sylwedd a dilyn y llef;
Cartref a phriod a'th deulu i gyd,
Cychod dy dad a'th fywoliaeth glyd,
Glasfor Tiberias a'i felyn draeth,
A diddan gwmpeini hen longwyr ffraeth;
Gadael y cyfan a myned ar ôl
Llencyn o saer a breuddwydiwr ffôl.'

'Gwelais ei wyneb a chlywais ei lef,
A rhaid, a rhaid oedd ei ddilyn Ef.
Cryfach a thaerach yr alwad hon
A mwynach, mil mwynach na galwad y don
Ar hwyrnos loer-olau, ddigyffro, ddi-stŵr.
Gadewais y cyfan i ddilyn y Gŵr.'

'Ni chefaist, fab Jona, ond dirmyg a gwawd
O ddilyn dy gyfaill gofidus a thlawd;
Nosweithiau o bryder, a dyddiau o wae
Yn lle yr hen firi ac afiaith y bae.
A buost edifar, fab Jona, 'rwy'n siŵr.'

'Na, gwynfyd fy mywyd oedd dilyn y Gŵr.
Ni welwyd un cyfaill mor rhadlon ag Ef,
Mor dyner, mor eon, mor ffyddlon ag Ef.

Fe'i gwelais yng Nghana pan ballodd y gwin
Yn llonni y cwmni â gwên ar ei fin
'Fe'i gwelais yn eistedd a phlant bach y fro
Yn tyrru i wrando ei storïau O.

'Ac unwaith a ninnau'n dychwelyd yn brudd
Â'n rhwydau yn weigion, ar doriad y dydd,
Fe'i clywais yn galw yn siriol a llon,
"Gwthiwch i'r dwfwn a bwrw i'r don
Eto eich rhwydau": a physgod di-ri'
A wingai nes rhwygo ein rhwydau ni.

'Dro arall a ninnau'n drallodus a gwan
Yng nghanol y storom, ymhell o'r lan,
Fe'i gwelais yn rhodio ar wyneb y lli –
A'r bedwaredd wylfa o'r nos ydoedd hi –
Daeth atom i'r llong a chiliodd ein braw,
A'r gwynt a ostegodd ar amnaid ei law.

'Fe'i gwelais â'i ffrewyll yn gyrru o'r Tŷ
Farchnatwyr anonest, cribddeilwyr hy.

'Fe'i gwelais yn sefyll yn ddewr a di-gryn,
Y dyrfa'n dynesu â'u lampau ynghynn,
Â'u gloyw gleddyfau a'u gwaywffyn;
A chlywais ei eiriau – a'r dagrau yn lli –
"Gadewch i'r rhain fyned; cymerwch chwi fi."

'O gyfaill digymar! Dilynais i Ef
O bentref i bentref, o dref i dref,
I fyny i'r mynydd at byrth y nef;
Ac yno dymunwn gyweirio fy nyth
Yng nghysgod tair pabell, ac aros am byth.
Ond rhaid oedd ei ddilyn i'r dyffryn islaw,
Ac yno y gwelais weithredoedd ei law –
Ei nerthol weithredoedd – a chlywais ei lef
A honno yn llawn o awdurdod y nef.
        Clefydau a giliai,
        Cythreuliaid a grynai,
Ac Angau ei hunan a drengai wrth hon;

A minnau un diwrnod a lefais yn llon
(Cyfrinach y Duwdod a ddaeth ar fy nghlyw):
"Tydi yw y Crist, a Mab y Duw Byw."

'Ac er i mi wedyn ei wadu yn ffôl,
Cymerodd fi, Seimon, i'w fynwes yn ôl.'

'Ond ofer fu'r cyfan, fab Jona, a'r groes
Fu diwedd dy gyfaill ym mlodau ei oes.
Fe'i rhoddwyd i orwedd yn welw ei wedd,
A seliodd y milwyr y maen ar ei fedd.
Gwell it anghofio'r breuddwydiwr ffôl,
A throi at dy rwydau a'th gychod yn ôl.'

'Na, na, nid marw fy Arglwydd a'm Duw,
Cyfododd yr Iesu: mae eto yn fyw.

'A ninnau a'i gwelsom a thystion ŷm ni
Mai gobaith yr oesoedd yw Croes Calfari.
Mi welais y man y gorweddodd Ef,
A mwyach, yn eon mi godaf fy llef
I dystio am Iesu, Iachawdwr y byd,
Os f'Arglwydd a'i myn, drwy'r ddaear i gyd:
Cans gwelais ogoniant y Tad yn ei wedd –
Tywysog y Bywyd, Gorchfygwr y bedd.'

TANGNEFEDD DUW

Rho im yr hedd, na ŵyr y byd amdano,
  Hedd, nefol hedd, ddaeth trwy anfeidrol loes,
Pan fyddo'r don ar f'enaid gwan yn curo,
  Mae'n dawel gyda'r Iesu wrth y groes.

O! Rho yr hedd, na all y stormydd garwaf
  Ei flino byth, na chwerwi ei fwynhad;
Pan fyddo'r enaid, ar y noson dduaf,
  Yn gwneud ei nyth ym mynwes Duw ein Tad.

Rho brofi'r hedd, a wna i'm weithio'n dawel
  Yng ngwaith y nef, dan siomedigaeth flin;
Heb ofni dim, ond aros byth yn ddiogel
  Yng nghariad Duw, er garwed fyddo'r hin.

O! am yr hedd, sy'n llifo megis afon
  Trwy ddinas Duw, dan gangau'r bywiol bren:
Hedd, wedi'r loes, i dyrfa pererinion;
  Heb gwmwl byth na nos – tu hwnt i'r llen.

J. VERNON LEWIS

GWAWR WEDI HIRNOS

Gwawr wedi hirnos, cân wedi loes,
Nerth wedi llesgedd, coron 'r ôl croes;
Chwerw dry'n felys, nos fydd yn ddydd,
Cartref 'r ôl crwydro, wylo ni bydd.

Medi'r cynhaeaf, haul wedi glaw,
Treiddio'r dirgelwch, hedd wedi braw,
Wedi gofidiau, hir lawenhau,
Gorffwys 'r ôl lludded, hedd i barhau.

Heuir mewn dagrau, medir yn llon,
Cariad sy'n llywio stormydd y don;
Byr ysgafn gystudd, derfydd yn llwyr
Yn y gogoniant ddaw gyda'r hwyr.

Farnwr y byw a'r meirw ynghyd,
D'eiddo yw nerthoedd angau a'r byd;
Clod a gogoniant fyddo i Ti,
Ffrind a Gwaredwr oesoedd di-ri.

Anniflanedig gartref ein Duw,
Ninnau nid ofnwn, ynddo cawn fyw,
Byw i gyfiawnder, popeth yn dda,
Byw yn oes oesoedd, Haleliwia.

Y TANGNEFEDDWYR

Uwch yr eira, wybren ros,
　　Lle mae Abertawe'n fflam.
Cerddaf adref yn y nos,
　　Af dan gofio 'nhad a 'mam.
Gwyn eu byd tu hwnt i glyw,
Tangnefeddwyr, plant i Dduw.

Ni châi enllib, ni châi llaid
　　Roddi troed o fewn i'w tre.
Chwiliai 'mam am air o blaid
　　Pechaduriaid mwya'r lle.
Gwyn eu byd tu hwnt i glyw,
Tangnefeddwyr, plant i Dduw.

Angel y cartrefi tlawd
　　Roes i 'nhad y ddeuberl drud:
Cennad dyn yw bod yn frawd,
　　Golud Duw yw'r anwel fyd.
Gwyn eu byd tu hwnt i glyw,
Tangnefeddwyr, plant i Dduw.

Cenedl dda a chenedl ddrwg –
　　Dysgent hwy mai rhith yw hyn,
Ond goleuni Crist a ddwg
　　Ryddid i bob dyn a'i myn.
Gwyn eu byd, daw dydd a'u clyw,
Dangnefeddwyr, plant i Dduw.

Pa beth heno eu hystâd,
   Heno pan fo'r byd yn fflam?
Mae Gwirionedd gyda 'nhad
   Mae Maddeuant gyda 'mam.
Gwyn ei byd yr oes a'u clyw,
Dangnefeddwyr, plant i Dduw.

Y CEILIOG FFESANT

Oherwydd fod d'amryliw blu
   Fel hydref ar dy fynwes lefn,
A phob goludog liw a fu
   Yn mynd a dyfod hyd dy gefn,
Cadwed y gyfraith di rhag cam;
Ni fynnwn innau iti nam.

Oherwydd clochdar balch dy big,
   A'th drem drahaus ar dir y lord,
Mi fynnwn heno gael dy gig
   Yn rhost amheuthun ar fy mord;
A byw yn fras am hynny o dro
Ar un a besgodd braster bro.

YR HENIAITH

Disglair yw eu coronau yn llewych llysoedd
A thanynt hwythau. Ond nid harddach na hon
Sydd yn crwydro gan ymwrando â lleisiau
Ar ddisberod o'i gwrogaeth hen;
Ac sydd yn holi pa yfory a fydd,
Holi yng nghyrn y gorllewinwynt heno –
Udo gyddfau'r tyllau a'r ogofâu
Dros y rhai sy'n annheilwng o hon.

Ni sylwem arni. Hi oedd y goleuni, heb liw.
Ni sylwem arni, yr awyr a ddaliai'r arogl
I'n ffroenau. Dwfr ein genau, goleuni blas.
Ni chlywem ei breichiau am ei bro ddi-berygl
Ond mae tir ni ddring ehedydd yn ôl i'w nen,
Rhyw ddoe dihiraeth a'u gwahanodd.
Hyn yw gaeaf cenedl, y galon oer
Heb wybod colli ei phum llawenydd.

Na! dychwel gwanwyn i un a noddai
Ddeffrowyr cenhedloedd cyn eu haf.
Hael y tywalltai ei gwin iddynt.
Codent o'i byrddau dros bob hardd yn hyf.
Nyni, a wêl ei hurddas trwy niwl ei hadfyd,
Codwn, yma, yr hen feini annistryw.
Pwy yw'r rhain trwy'r cwmwl a'r haul yn hedfan,
Yn dyfod fel colomennod i'w ffenestri?

1914-1918

YR IEUAINC WRTH YR HEN

Am fod eich c'lonnau chwi yn oer,
A'ch cas yn llosgi'n ysol fflam,
A'ch dannedd yn ewynnu poer,
A'ch enaid wedi tyfu'n gam;

Am nad oes yn eich bywyd gwael
Un gobaith yn tywynnu dydd,
Am nad oes dim tosturi hael
Na chariad gennych na dim ffydd;

Am droi ohonoch eiriau Duw
Yn udo croch am fwy o waed,
Am faeddu ffrwd y dyfroedd byw,
Am droi Ei fainc yn lle i'ch traed, –

Am ichwi wneuthur hyn i gyd,
Rŷm ni, fu'n aberth er eich mwyn
Fel gyr o anifeiliaid mud,
Dan feichiau oedd ry drwm i'w dwyn,

Rŷm ni'n cyhoeddi melltith mwy
Ar bawb ohonoch yn eich tro,
Benadur gwlad, cynghorwr plwy',
Arglwydd yr aur, a thorrwr glo.

Ni ydyw'r ieuainc distadl ffôl
Yrasoch chwi wrth weiddi gwaed;
Ni ddaw ohonom un yn ôl,
Ni chlyw'r hen lwybrau sŵn ein traed.

Ni oedd gariadon hyd y ffyrdd
Yn nistaw hwyr yr hydref lleddf;
Nyni oedd biau'r gwanwyn gwyrdd,
Ac eiddom ni bob glendid greddf,

Pob breuddwyd teg a phurdeb bryd,
Pob gobaith, pob haelioni hir,
Pob rhyw ddyheu am lanach byd,
Pob tyfiant cain, pob golau clir.

Nyni yw'r rhai fendithiodd Duw
Â'r dewrder mawr heb gyfri'r gost;
Ni oedd yn canu am gael byw,
A byw a bywyd oedd ein bost.

Ohonom nid oes un yn awr;
Aeth bidog drwy y galon lân,
Mae'r ffosydd dros y dewrder mawr,
Mae'r bwled wedi tewi'r gân.

Pan gerddoch chwi, hen ddynion blin,
Hyd lwybrau'r wlad, ni'ch poenir fawr
Gan sibrwd isel, fin wrth fin;
Mae'r cariad wedi peidio'n awr.

Mae melltith ar ein gwefus ni
Yn chwerw, ond wedyn cyfyd gwên,
Wrth gofio nad awn byth fel chwi,
Wrth gofio nad awn byth yn hen.

CROESI TRAETH

Yr oedd hi, y diwrnod hwnnw,
Yn ail o Fedi.
A dyma ni, fel teulu,
Yn penderfynu mynd i lan y môr.

Yr oedd hi, y diwrnod hwnnw,
Yn heulog ond fymryn yn wyntog.
Dros y traeth mawr, gwag
Ysgydwai'r gwynt loywderau'r haul,
Chwibanai ei felyn dros y tywod,
A disgleiriai'r dŵr ar ei drai pell.

A dyma ddechrau gwneud y pethau
Y bydd pobl yn eu gwneud ar draethau –
Rhawio tywod;
Rhoi'r babi i eistedd yn ei ryfeddod
Hallt; codi cestyll; cicio pêl.
Mi aeth yr hogiau, o gydwybod,
Hyd yn oed i ymdrochi, yn garcus.
Ond yr oedd hi, y diwrnod hwnnw,
Yn rhy oer i aros yn hir yn y dŵr.
Safwn innau yn edrych.

Daethant o'r môr yn sgleinio a rhincian
A chwerthin a sblasio;
Ac wedyn dyma nhw'n rhedeg o 'mlaen i
Ar draws y traeth maith
At eu mam, at eu chwaer,
At ddiddosrwydd a thyweli.

Dilynais innau o bell.
Ond wrth groesi'r traeth, tua'r canol,
Dyma fo'n fy nharo i'n ysgytwol
Mai un waith y mae hyn yn digwydd;
'Ddaw'r weithred hon byth, byth yn ôl.
Mae'r eiliadau sydd newydd fynd heibio
Mor dynn â'r Oes Haearn o fewn tragwyddoldeb:
Peth fel'ma ydi ein marwoldeb.
A theimlais braidd yn chwith yn fan'no –
'Ddigwyddith y peth hwn byth eto.

Ond dal i gerdded a wneuthum
A chyn bo hir fe ddeuthum yn ôl
At y teulu,
At y sychu stryffaglus a'r newid,
At sŵn y presennol.
A rhwng y tywod
A chrensian drwy frechdan domato
A cheisio cysuro'r babi
Fe aeth y chwithdod hwnnw heibio.

Yr oeddwn i, fel yr oedd hi'n digwydd,
Y diwrnod hwnnw yn cael fy mhen-blwydd
Yn ddeugain ac un.

Y mae hen ddihareb Rwsiaidd sy'n dweud,
'Nid croesi cae yw byw.'
Cywir: croesi traeth ydyw.

79

GWENOLIAID

Eisteddant yn rhes
    Ar wifren y telegraff;
Mae rhywbeth yn galw –
    Crynant, edrychant yn graff.

Dechreuant drydar, –
    Mae rhywbeth yn galw draw,
Hir yw'r chwedleua,
    A phob un a'i gyngor wrth law.

Yna cyfodant
    Bob un ar ei adain ddu,
Trônt yn yr awyr
    Uwch ben ac o gwmpas y tŷ.

Ânt yn llai ac yn llai,
    Toddant yng nglesni'r ne;
Yfory, gorffwysant
    Yn dawel yn heulwen y De!

LLYNNOEDD

Pan ddaw y llu ymwelwyr ym merw gwyllt yr haf,
I gronni traeth a heol a'n holl lecynnau braf;
Caf innau ffoi i'r llynnoedd i brofi yno'r hud
Sy'n llechu rhwng y bryniau o gyrraedd miri'r byd.
Rhowch imi'r grug a'i borffor a hedd y mannau hyn,
Conach a Phlas y Mynydd, Nantcagal a Moel-llyn.

Mor hudol yw eu henwau, y digyfnewid griw,
Pob un yn gwylio'i fangre fel hen warchodwyr triw,
A'r haul fel mwyn dywysog yn bwrw'i fantell rudd
Ar wyneb llyfn eu dyfroedd, cyn rhoi ffarwél i'r dydd.
Rhowch imi'r grug a'i borffor a hedd y mannau hyn,
Conach a Phlas y Mynydd, Nantcagal a Moel-llyn.

Ac yng nghymanfa'r adar nes disgyn llenni'r nos,
Caf rodio pryd y mynnaf ar garped ffein y rhos;
Aed pawb i'r fan a fynno, caf innau felys awr,
Nes cwyd y lloer fel cryman dros grib Pumlumon Fawr.
Rhowch imi'r grug a'i borffor a hedd y mannau hyn,
Conach a Phlas y Mynydd, Nantcagal a Moel-llyn.

GWLADYS RHYS

Seiat, Cwrdd Gweddi, Dorcas a Chwrdd Plant;
A 'nhad drwy'r dydd a'r nos mor flin â'r gwynt,
A'r gwynt drwy'r dydd a'r nos ym mrigau'r pin
O amgylch tŷ'r gweinidog. Ac roedd 'mam,
Wrth geisio dysgu iaith y nef, heb iaith
Ond sôn am Oedfa, Seiat, Cwrdd a Dorcas.

Pa beth oedd im i'w wneuthur, Gwladys Rhys,
Merch hynaf y Parchedig Thomas Rhys,
Gweinidog Horeb ar y Rhos? Pa beth
Ond mynych flin ddyheu, a diflas droi
Fy llygaid draw ac yma dros y waun,
A chodi'r bore i ddymuno'r nos,
A throsi drwy'r nos hir, dan ddisgwyl bore?
A'r gaeaf, O fy Nuw, wrth dynnu'r llen
Dros ffenestri bedwar yn y pnawn,
A chlywed gwynt yn cwyno ym mrigau'r pin,
A gwrando ar ymddiddan 'nhad a 'mam!

Rhyw ddiwrnod fe ddaeth Rhywun tua'r tŷ,
A theimlais Rywbeth rhyfedd yn fy nghalon:
Nid oedd y gwynt yn cwyno yn y pin,
A mwyach nid oedd raid i'm llygaid droi
Yma ac acw dros y waun. Daeth chwa
Rhyw awel hyfryd o'r gororau pell.

Mi dynnais innau'r llenni dros y ffenestr,
Heb ateb gair i flinder oer fy nhad,
A gwrando 'mam yn adrodd hanes hir
Cymdeithas Ddirwest Merched Gwynedd: yna
Heb air wrth neb eis allan drwy yr eira,
Pan oedd y gwynt yn cwyno drwy y pin,
A hithau'n noson Seiat a Chwrdd Dorcas.

Am hynny, deithiwr, yma rwyf yn gorwedd
Wrth dalcen Capel Horeb, – Gwladys Rhys,
Yn ddeg ar hugain oed, a 'nhad a 'mam
Yn pasio heibio i'r Seiat ac i'r Cwrdd,
Cyfarfod Gweddi, Dorcas, a phwyllgorau
Cymdeithas Ddirwest Merched Gwynedd: yma
Yn nyffryn angof, am nad oedd y chwa
A glywswn unwaith o'r gororau pell
Ond sŵn y gwynt yn cwyno yn y pin.

Y GWEDDILL

Hwynt-hwy ydyw'r gweddill dewr a'i câr yn ei thlodi,
Ac a saif iddi'n blaid yn ei dyddiau blin;
Allan yn y cymoedd a'r mynyddoedd amyneddgar
Hwy a wynebant yr estronwynt a phob hin.

A hwy ydyw'r gweddill da a wêl drwy ei charpiau
Aflonydd yn y gwynt du hwnnw a'i raib
Degwch blodeuog ei dydd cyn difwynder cur craith;
Y rhai yn y dyddiau diwethaf a blediodd eu henaid drosti
Â thân yn eu her, a'i hen hiraeth hi yn eu hiaith.

Hwy hefyd yw'r gweddill dwys a'i clyw yn griddfan
Gyda'i chwiorydd dirmygedig allan yn y cefn;
Llef pendefigaidd un â'i hysbryd heb ei lwyr lethu
A glywant, ond gloywa'i gobeithion gwan ei llygaid
Wrth ei hymgeleddu i'w hail hoen drachefn.

A chyn bydd i'r rhain mwyach yn eu hyder cyndyn
Ddileu oddi ar lech y fron eu cyfamod â hi,
A chyn gweld syrthio o seren olaf ei choron
A diffodd yn y llaid wrth yr eithaf ffos,
Bydd rhagfuriau eu serch yn gandryll hyd lawr
Gwlad Fyrddin a Morgan,
Y Rhondda a'r Rhos.

MAIR FADLEN
'Na chyffwrdd â mi.'

Am wragedd ni all neb wybod. Y mae rhai,
Fel hon, y mae eu poen yn fedd clo;
Cleddir eu poen ynddynt, nid oes ffo
Rhagddo nac esgor arno. Nid oes drai
Na llanw ar eu poen, môr marw heb
Symud ar ei ddyfnder. Pwy – a oes neb –
A dreigla'r maen oddi ar y bedd dro?

Gwelwch y llwch ar y llwybr yn llusgo'n gloff:
Na, gedwch iddi, Mair sy'n mynd tua'i hedd,
Dyfnder yn galw ar ddyfnder, bedd ar fedd,
Celain yn tynnu at gelain yn y bore anhoff;
Tridiau y bu hon mewn beddrod, mewn byd a ddibennwyd
Yn y ddiasbad brynhawn, y gair Gorffennwyd,
Y waedd a ddiwaeddodd ei chalon fel blaen cledd.

Gorffennwyd, Gorffennwyd. Syrthiodd Mair o'r bryn
I geudod y Pasg olaf, o bwll y byd
Nad oedd ond bedd, a'i anadl mewn bedd mud,
Syrthiodd Mair i'r tranc difancoll, syn,
Byd heb Grist byw, Sabath dychrynllyd y cread,
Pydew'r canmil canrifoedd a'u dilead,
Gorweddodd Mair ym meddrod y cread cryn,

Yng nghafn nos y synhwyrau, ym mhair y mwg;
Gwynnodd y gwallt mawr a sychasai ei draed,
Gwywodd holl flodau'r atgo' ond y gawod waed;
Cwmwl ar gwmwl yn ei lapio, a'u sawr drwg
Yn golsyn yn ei chorn gwddf, ac yn difa'i threm
Nes diffodd Duw â'u hofnadwyaeth lem,
Yn cyd-farw, yn y cyd-gladdu dan wg.

Gwelwch hi, Niobe'r Crist, yn tynnu tua'r fron
Graig ei phoen i'w chanlyn o'r Pasg plwm
Drwy'r pylgain du, drwy'r gwlith oer, drwy'r llwch trwm,
I'r man y mae maen trymach na'i chalon don;
Afrwydd ymlwybra'r traed afrosgo dros ddraen
A thrafferth dagrau'n dyblu'r niwl o'i blaen,
A'i dwylo'n ymestyn tuag ato mewn hiraeth llwm.

Un moeth sy'n aros iddi dan y nef,
Un anwes ffarwel, mwynder atgofus, un
Cnawdolrwydd olaf, trist-ddiddanus, cun,
Cael wylo eto dros ei esgeiriau Ef,
Eneinio'r traed a golchi'r briwiau hallt,
Cusanu'r fferau a'u sychu eto â'i gwallt,
Cael cyffwrdd â Thi, Rabboni, O Fab y Dyn.

Tosturiwn wrthi. Ni thosturiodd Ef.
Goruwch tosturi yw'r cariad eirias, pur,
Sy'n haearneiddio'r sant drwy gur ar gur,
Sy'n erlid y cnawd i'w gaer yn yr enaid, a'i dref
Yn yr ysbryd nefol, a'i ffau yn y santeiddiolaf,
Sy'n llosgi a lladd a llarpio hyd y sgarmes olaf,
Nes noethi a chofleidio'i sglyfaeth â'i grafanc ddur.

Bychan a wyddai hi, chwe dydd cyn y Pasg,
Wrth dywallt y nard gwlyb gwerthfawr arno'n bwn,
Mai'n wir 'i'm claddedigaeth y cadwodd hi hwn';
Ni thybiodd hi fawr, a chued ei glod i'w thasg,
Na chyffyrddai hi eto fyth, fyth â'i draed na'i ddwylo;
Câi Thomas roi llaw yn ei ystlys; ond hi, er ei hwylo,
Mwyach dan drueni'r Bara y dôi iddi'r cnawd twn.

Dacw hi yn yr ardd ar glais y wawr;
Gwthia'i golygon tua'r ogof; rhed,
Rhed at ei gweddill gwynfyd. Och, a gred,
A gred hi i'w llygaid? Fod y maen ar lawr,

A'r bedd yn wag, y bedd yn fud a moel;
Yr hedydd cynta'n codi dros y foel
A nyth ei chalon hithau'n wag a siêd.

Mor unsain â cholomen yw ei chŵyn,
Fel Orphews am Ewridice'n galaru
Saif rhwng y rhos a chrio heb alaru
'Maent wedi dwyn fy Arglwydd, wedi ei ddwyn,'
Wrth ddisgybl ac wrth angel yr un llef
'Ac ni wn ple y dodasant ef,'
Ac wrth y garddwr yr un ymlefaru.

Hurtiwyd hi. Drylliwyd hi. Ymsuddodd yn ei gwae.
Mae'r deall yn chwil a'r rheswm ar chwâl, oni
Ddelo a'i cipia hi allan o'r cnawd i'w choroni –
Yn sydyn fel eryr o'r Alpau'n disgyn tua'i brae –
Â'r cariad sy'n symud y sêr, y grym sy'n Air
I gyfodi a bywhau: 'a dywedodd Ef wrthi, Mair,
Hithau a droes a dywedodd wrtho, Rabboni.'

EIFIONYDD

O olwg hagrwch Cynnydd
   Ar wyneb trist y Gwaith
Mae bro rhwng môr a mynydd
   Heb arni staen na chraith,
Ond lle bu'r arad' ar y ffridd
Yn rhwygo'r gwanwyn pêr o'r pridd.

Draw o ymryson ynfyd
   Chwerw'r newyddfyd blin,
Mae yno flas y cynfyd
   Yn aros fel hen win.
Hen, hen yw murmur llawer man
Sydd rhwng dwy afon yn Rhos Lan.

A llonydd gorffenedig
   Yw llonydd y Lôn Goed,
O fwa'i tho plethedig
   I'w glaslawr dan fy nhroed.
I lan na thref nid arwain ddim,
Ond hynny nid yw ofid im.

O! mwyn yw cyrraedd canol
   Y tawel gwmwd hwn,
O'm dyffryn diwydiannol
   A dull y byd a wn;
A rhodio'i heddwch wrthyf f'hun,
Neu gydag enaid hoff, cytûn.

T. GWYNN JONES

YMADAWIAD ARTHUR (Detholiad)

Draw dros y don mae bro dirion nad ery
Cwyn yn ei thir, ac yno ni thery
Na haint na henaint fyth mo'r rhai hynny
A ddêl i'w phur, rydd awel, a phery
    Pob calon yn hon yn heiny a llon,
Ynys Afallon ei hun sy felly.

Yn y fro ddedwydd mae hen freuddwydion
A fu'n esmwytho ofn oesau meithion;
Byw yno byth mae pob hen obeithion,
Yno, mae cynnydd uchel amcanion;
    Ni ddaw fyth i ddeifio hon golli ffydd,
Na thro cywilydd, na thorri calon.

Yno, mae tân pob awen a gano,
Grym, hyder, awch pob gŵr a ymdrecho;
Ynni a ddwg i'r neb fynn ddiwygio,
Sylfaen yw byth i'r sawl fynn obeithio;
    Ni heneiddiwn tra'n noddo – mae gwiw foes
Ac anadl einioes y genedl yno.

CÔR MEIBION

Dod at ei gilydd –
Chwarelwyr, glowyr, siopwyr,
Dynion y diwydiannau newydd, rhai athrawon –
Dynion yn rhengoedd
A'r gwahaniaethau'n plethu'n gân,
Yn gytgord.

Ar y bỳs, bras –
Straeon coch, galanas
O chwerthin, sgwrsio, tynnu coes.
Ac, wrth gwrs, y stopio
A'r rhelyw'n pwyso fesul un
O'r bỳs am ddiferyn.

Ond wedyn eu gweld nhw,
Ddynion, yn eu siwtiau yn lân ar lwyfan –
Gŵr y slebog a'r barticlar,
Yr hynafgwr a'r gŵr ifanc –
Eu gweld nhw ar lwyfan
A'u hwynebau'n myfyrio'r gân,
Eu llygaid yn astud
A grym eu cerdd –
Yn dangnefedd, yn orfoledd, neu'n alar –
Yn fflam drwy'r neuadd,
Fel einioes yn llosgi mewn diffeithwch o nos.

'A! wedyn,' chwedl hen arweinydd,
'Wedyn mi fydd yn fy llygad i ddeigryn.
A phan glywa' i "Teilwng yw'r Oen"
Yn tyfu, yn dyrchafu, yn dygyfor
Drwy'r côr, drwy'r meibion,
Mi wn mai Duw da a wnaeth ddynion.'

PRESELI

Mur fy mebyd, Foel Drigarn, Carn Gyfrwy, Tal Mynydd,
Wrth fy nghefn ym mhob annibyniaeth barn.
A'm llawr o'r Witwg i'r Wern ac i lawr i'r Efail
Lle tasgodd y gwreichion sydd yn hŷn na harn.

Ac ar glosydd, ar aelwydydd fy mhobl –
Hil y gwynt a'r glaw a'r niwl a'r gelaets a'r grug,
Yn ymgodymu â daear ac wybren ac yn cario
Ac yn estyn yr haul i'r plant, o'u plyg.

Cof ac arwydd, medel ar lethr eu cymydog.
Pedair gwanaf o'r ceirch yn cwympo i'w cais,
Ac un cwrs cyflym, ac wrth laesu eu cefnau
Chwarddiad cawraidd i'r cwmwl, un llef pedwar llais.

Fy Nghymru, a bro brawdoliaeth, fy nghri, fy nghrefydd,
Unig falm i fyd, ei chenhadaeth, ei her,
Perl yr anfeidrol awr yn wystl gan amser,
Gobaith yr yrfa faith ar y drofa fer.

Hon oedd fy ffenestr, y cynaeafu a'r cneifio.
Mi welais drefn yn fy mhalas draw.
Mae rhu, mae rhaib drwy'r fforest ddiffenestr.
Cadwn y mur rhag y bwystfil, cadwn y ffynnon rhag y baw.

TEIFI
(I'm cyfaill a'm cyd-bysgotwr, Wilbert Lloyd Roberts)

Mae afon sy'n groyw a gloyw a glân,
A balm yn addfwynder a cheinder ei chân.
Pob corbwll fel drych i ddawns cangau'r coed cnau,
Pob rhyd fel pelydrau mewn gwydrau yn gwau;
A'i thonnau, gan lamu yn canu'n un côr
Ym Mae Aberteifi ger miri y môr.

Er dod o Gors Caron, a'i llarpio'n y llaid,
Mae'n llamu i'w glendid,– gweddnewid ar naid.
Ar ôl pasio Llanbed' – a theced ei thŵr –
Pont Henllan sy'n estyn ei darlun i'r dŵr;
Toc Rhaeadr Cenarth sy'n daran drwy'r fro,
Ond rhowch i mi Deifi Llandysul bob tro.

Mae'r llif yno'n ddiog, a'r dolydd yn las,
A'r brithyll, a'r sewin a'r samon yn fras;
A dau o enweirwyr, heb ofal is nen
Yn disgyn i'r afon o Blas Gilfach Wen,
A thoc bydd Coch Bonddu yn llamu'n ei lli' –
Rhowch Deifi Llandysul i Wilbert a mi.

Ar ba sawl blaen llinyn caed sewin yn saig
A'r sêr yn rhoi tro uwchlaw gro Tan-y-graig?
Sawl samon a fachwyd, chwaraewyd i'r rhwyd
Yn ffedog Pwll Henri, a'r lli braidd yn llwyd?
A sawl brithyll eon fu'n ffustio'n rhy ffôl
A chrych y cyflychwr ar ddŵr Pwll-y-Ddôl?

O'r bore tra thirion hyd hinon brynhawn
Crwydrasom ein deuwedd un duedd, un dawn.

92

Pysgota tan fangoed a glasgoed y glyn,
A dal i bysgota a'r nos ar y bryn.
A pha sawl cyfrinach cyfeillach a fu
Ar bulpud o greigan ar dorlan Pwll Du?

Fy nghyfaill genweirig, caredig dy ryw,
Faint gawn ni'n dau eto o hafau i fyw?
Os byddi dy hunan wrth bwll Gilfach Wen
Un noson, a chlywed swn rîl wrth lein den,
Nac ofna, myfi fydd yn llithro drwy'r gro
O Erddi Paradwys i Deifi am dro.

PA BETH YW DYN?

Beth yw byw? Cael neuadd fawr
Rhwng cyfyng furiau.
Beth yw adnabod? Cael un gwraidd
Dan y canghennau.

Beth yw credu? Gwarchod tref
Nes dyfod derbyn.
Beth yw maddau? Cael ffordd trwy'r drain
At ochr hen elyn.

Beth yw canu? Cael o'r creu
Ei hen athrylith.
Beth yw gweithio ond gwneud cân
O'r coed a'r gwenith?

Beth yw trefnu teyrnas? Crefft
Sydd eto'n cropian.
A'i harfogi? Rhoi'r cyllyll
Yn llaw'r baban.

Beth yw bod yn genedl? Dawn
Yn nwfn y galon.
Beth yw gwladgarwch? Cadw tŷ
Mewn cwmwl tystion.

Beth yw'r byd i'r nerthol mawr?
Cylch yn treiglo.
Beth yw'r byd i blant y llawr?
Crud yn siglo.

GWEDDI DROS Y PETHAU HYN

Am yr holl bethau
nad ydym yn eu dweud.
Am y cyfleoedd i ganmol a gollwyd,
am fethu rhoi ein gwên.
Am y cadw i lawr
ar ein gilydd a wnawn
yn enw anwybodaeth a phŵer.
Am y synnu at hiwmor person
pan wyddom iddo fod yno erioed,
ond i ni beidio â'i gydnabod.
Am ein cenfigen at eraill.

Am fynd heibio'r digartre'
sy'n cardota wrth ddrws Smiths
a chymaint sydd mor anghennus
yn ein cylchoedd ffodus ni.
Am wthio llythyr Oxfam i gornel y cwpwrdd.
Am fodloni bod yn ddauwynebog.
Am yr holl gecru a wneir
yn enw Crefydd a Christ.

Maddau i ni, O Dduw.

Am y meddalwch hyfryd
nad ydym yn ei ddangos.
Am y brifo bwriadol systematig
a wnawn ar ein gilydd.
Am chwarae gwleidyddiaeth pŵer
ein hansicrwydd bach.
Am wneud difetha pobl
yn weithred mor greadigol.

Am dorri ein haddewidion
a rhoddi pwysau ychwanegol
ar y bobl y gwyddwn na fyddant yn cwyno,
doed a ddelo.
Am yrru pobl at y dibyn yn hollol ymwybodol.
Am y gwychder sydd o fewn ein cyrraedd
ond y dewiswn ei ddisodli.
Maddau i ni.

Am yr holl hapusrwydd nad ydym yn ei ddangos,
am yr holl ofid nad ydym yn ei rannu,
am y pethau nad ydym yn eu mynegi
na chael y cryfder i'w dweud.
Am yr addewidion a wnawn yn llawen
a'r dadrith a achoswn o'u hanghofio.
Am ein haberthu ein hunain ar allor Cyffredinedd,
a smalio bod yn gryf pan ydym mor wan.
Am y celwydd rydym yn ei fyw.

Am ein galw'n hunain yn Gristnogion
a ninnau'n gwneud y pitw arwynebol,
gymdeithasol, ddylanwadol bethau.
Am wisgo'n crefydd
fel dillad ar ddelw mewn ffenest siop
heb ei fyw.
Am chwarae saint ar y Sul
a diawled weddill yr wythnos.
Am yr anghyfiawnder a wnawn â phobl
er smalio athroniaeth trin pawb yn gydradd.
Am y bychanu yn enw ofn tramgwyddo neb.
Am fethu cydnabod doniau ein gilydd
yn llawen.
Am wrthod i eraill y cyfle i dyfu.

Maddau i ni, O Dduw,
o achos nid i hyn y creaist ni.

Am win hen hafau
y mynnwn eu mygu;
am wreiddiau a anghofiwn;
am gyfri ceiniogau
cyn gweld mai pobl sy'n cyfri.
Am gefnogi llestri gweigion
mewn gair
a gweithred ar ôl gweithred,
maddau i ni ein difrawder.

Am ein bod yn bodloni
ar fywydau
sy'n llawn o beidio â mynegi
yr hyn a olygwn.
Am yr holl bethau
yr ydym yn ceisio'u cyrraedd
ond yn methu.

Am gefnu ar sylwedd o blaid y ddelwedd.
Am ein bod ni'n ddynol ac amherffaith,
cofia hynny, O Arglwydd,
a maddau bopeth i ni,
a'n harwain o'n carchar du
i gerfio a chyfathrebu rhyw Ddyfodol
allan o'r anialwch hwn
sy'n gymeradwy i dy bwrpas Di.

AMEN.

OVER THE LLESTRI

Haia, has the gloch gone?
Ugh! My dosbarth cofrestru's got
gwasanaeth this morning.
I've forgotten my llyfr emynau anyway.
I've got to go to the Swyddfa
to fill a ffurflen hwyr.
Don't see the point
cause I'm 'Yma' now.
I hope they haven't called me on the tanwydd
cause I wanted to wag Cofnod Cyrhaeddiad in the bog,
or the Llyfrgell.

What are you doin' for Gweithgareddau?
Blodau sych or Fideo Cymraeg?
I did Garddio last year.
And have you paid your blaendal for the gwibdaith?
I've forgotten my ffurflen ganiatâd and my ffurflen B
but I'm going to Alton Towers.
It beats Castell Harlech.

Have you done your Gwaith cartre in Gwyddoniaeth
    on the Mwynau?
Can I see your taflen
to copïo fyny the gwaith dosbarth
and the arbrawf?
What was your canlyniadau?
And don't mention Hanes. I hate Hanes.
We'll probably have to do Sbwriela,
around the Cae Bob Tywydd
and the cabanau for a whole tymor.

What did you get in your Prawf Barddoniaeth?
Well she can't breathe on me
cause I've done my Gwerthfawrogiad
on the 'Smotyn',
and I've learnt what an englyn is,
how many sills its got,
and I've watched 'Traed Mewn Cyffion'.
I'd be dead good at Cymraeg
if the treigladau weren't there.
They should be scrapped.
Treiglad trwyn or something
it does my 'ead in.

Hey, she's a right slebog, Madonna, isn't she –
Have you seen her new book – 'Rhyw'?

Have you done all your gwaith cwrs then?
We've got the arholiad llafar soon.
No, not in the Gampfa.
The TGAU's will be there.
She wants us to siarad un wrth un with me
this arholwr about my diddordebau.
What's your Diddordebau anyway?
Mine's gonna be 'Rhyw', like Madonna.
Hey, if I say that for my Cyflwyno gwybodaeth
I'd have to take the arholwr to the Stafell Feddygol
for a gorffwys.

Are you staying on for the Chweched?
Loads of gwersi rhydd, and a caban and a cell.

Where are you goin' on your Profiad gwaith?
Ugh, they're sending me to some swyddfa
where I'll have to be dwyieithog
and do some kind of cyflwyniad when I get back.
And it's getting me down
cause as you know, I never speak a word of Welsh.

J. EIRIAN DAVIES

PENBLETH

Mae fy Methel yn dŷ i Dduw rhwng ffatrïoedd a thipiau
Lle mae gwythïen yr iaith yn teneuo o gnoc i gnoc,
Bellach aeth ein crefydd a'n hen draddodiad yn dipiau
A bydd y peiriau newydd wedi moldio rhai eraill toc;
Teimlaf hwrdd cenedlaethau yn fy ngwaed yn ymdopi,
A chorniaf y llanw'n chwyrn er mwyn fy mhraidd,
Rhag ein metamorffeiddio'n bwt yn llyfrau copi
Plant yn chwilfrydig anturio turio am eu gwraidd.
Ac eto, arnaf fi y clecia'r rhieni ddolennau
Eu ffrewyll noeth sy'n gnotiog o gasineb ac o gics –
Rhieni na wnaethant farc, onid marc ffolennau
Fel bochau mawr ar gelfi tai-tafarn a thai-fflics;
A dysgais fod byw yn benbleth i'r sawl a ymdaflo
I gadw'n genedl y gymdeithas sy'n rhyddhau ac yn rhaflo.

DAVID JAMES JONES (GWENALLT)

Y MEIRWON

Bydd dyn wedi troi'r hanner-cant yn gweld yn lled glir
  Y bobl a'r cynefin a foldiodd ei fywyd e,
A'r rhaffau dur a'm deil dynnaf wrthynt hwy
  Yw'r beddau mewn dwy fynwent yn un o bentrefi'r De.

Wrth yrru ar feisiglau wedi eu lladrata o'r sgrap
  A chwarae Rygbi dros Gymru â phledrenni moch,
Ni freuddwydiais y cawn glywed am ddau o'r cyfoedion hyn
  Yn chwydu eu hysgyfaint i fwced yn fudr goch.

Ein cymdogion, teulu o Ferthyr Tydfil oeddent hwy,
  'Y Merthyron' oedd yr enw arnynt gennym ni,
Saethai peswch pump ohonynt, yn eu tro, dros berth yr ardd
  I dorri ar ein hysgwrs ac i dywyllu ein sbri.

Sleifiem i'r parlyrau Beiblaidd i sbio yn syn
  Ar olosg o gnawd yn yr arch, ac ar ludw o lais;
Yno y dysgasom uwch cloriau wedi eu sgriwio cyn eu pryd
  Golectau gwrthryfel coch a litanïau trais.

Nid yr angau a gerdd yn naturiol fel ceidwad cell
  Â rhybudd yn sŵn cloncian ei allweddi llaith,
Ond y llewpart diwydiannol a naid yn sydyn slei,
  O ganol dŵr a thân, ar wŷr wrth eu gwaith.

Yr angau hwteraidd: yr angau llychlyd, myglyd, meddw,
  Yr angau â chanddo arswyd tynghedfen las;
Trôi tanchwa a llif-pwll ni yn anwariaid, dro,
  Yn ymladd â phwerau catastroffig, cyntefig, cas.

Gwragedd dewrfud â llond dwrn o arian y gwaed,
   A bwcedaid o angau yn atgo tan ddiwedd oes,
Yn cario glo, torri coed-tân a dodi'r ardd
   Ac yn darllen yn amlach hanes dioddefaint Y Groes.

Gosodwn Ddydd Sul y Blodau ar eu beddau bwys
   O rosynnau silicotig a lili mor welw â'r nwy,
A chasglu rhwng y cerrig annhymig a rhwng yr anaeddfed gwrb
   Yr hen regfeydd a'r cableddau yn eu hangladdau hwy.

Diflannodd yr Wtopia oddi ar gopa Gellionnen,
   Y ddynoliaeth haniaethol, y byd diddosbarth a di-ffin;
Ac nid oes a erys heddiw ar waelod y cof
   Ond teulu a chymdogaeth, aberth a dioddefaint dyn.

CYNEFIN

Ni byddaf yn siŵr pwy ydwyf yn iawn
Mewn iseldiroedd bras a di-fawn.

– Mae cochni fy ngwaed ers canrifoedd hir
Yn gwybod fod rhagor rhwng tir a thir.

Ond gwn pwy ydwyf, os caf innau fryn
A mawndir a phabwyr a chraig a llyn.

MINTYS POETHION

Losin dydd Sul
ar ddistaw dafod:
pregeth i ddyfod.

A sugno'r cyffur
er diffyg awydd
a wnaf dragyfydd.

Weithiau fe dorrant
a brathu 'nhafod
cyn i'r darnau ddarfod.

Dro arall cas gen i
y llu sy'n eu llowcio
gan esgus eu ffieiddio.

A'r mintys poethion
sy'n rhuddo 'nhaflod,
yw blas llosg Cymreictod.

Y GWYDDEL GWYN A DU

O dŷ Wil yn Alltwalis, – hyd lannau
Dolennog y Teigris,
O'r niwl ar y Piranîs
I odre Cadair Idris.

Yn Nolwyddelan a Nice, – y Bala,
Hafana a Fenis,
Yn Irác, yn y Rocis,
Yn uwch na hynny, yn is.

Yn Nhrelew, ac yn Rhydlewis, – ym Môn
Ac ym Miniaplis,
Yn Nanhoron, yn Harris,
Criw a Pheriw a Dymffrîs.

Yng Nghairo ac yng Nghorris, – Monterey,
Mewn tre o'r enw Alis,
Yn yr India, a'r Andis
Yng Nghaer-Hun, ac yng Nghêr-Is.

Niw Sîland, Ynys Elis, – a Lahôr,
Yn y Ffôr, a Pharis,
Yn Aran, a'r Canêris,
Yn Lourdes, a Los Anjelîs.

Yng Nghracov, yn Nhre'r Cofis, – ym Milan,
Ym Mhlwmp ac ym Memffis,
Y maent yn bendithio'r mis
Y ganwyd Arthur Ginis.

106

'Ginis' mae pawb yn ganu, – yn enfys
    Anferth o barablu:
    Hynod i Arthur fynnu
    Ei wneud oll yn wyn a du.

EVAN EVANS (IEUAN BRYDYDD HIR)

ENGLYNION I LYS IFOR HAEL

Llys Ifor Hael, gwael yw'r gwedd, – yn garnau
    Mewn gwerni mae'n gorwedd,
    Drain ac ysgall mall a'i medd,
    Mieri lle bu mawredd.

Yno nid oes awenydd, – na beirddion,
    Na byrddau llawenydd,
    Nac aur yn ei magwyrydd,
    Na mael, na gŵr hael a'i rhydd.

I Ddafydd gelfydd ei gân – oer ofid
    Roi Ifor mewn graean;
    Y llwybrau gynt lle bu'r gân
    Yw lleoedd y dylluan.

Er bri arglwyddi byr-glod – eu mawredd
    A'u muriau sy'n darfod;
    Lle rhyfedd i falchder fod
    Yw teiau ar y tywod.

AR YMWELIAD

Daeth heddwch i'w lwyr gyfannu erbyn hyn, mae'n siŵr,
a throi'r tŷ clwyfus yn gartre llawenydd drachefn;
pe gallwn ddychwelyd ryw gyfnos gaeaf
a cherdded eto drwy'r eira mud y lôn ddi-stŵr
i'r man lle bûm, byddai'n dro mewn amser a threfn
newydd, ac nid adwaenwn fyd mor ddieithr â'r haf.

Ac efallai mai breuddwyd ydoedd, pan gurais wrth ddrws
trahaus ers talwm: daeth y Barwn ei hun i'w agor
a rhythu'n gwrtais ar fy ngwisg milwr:
'*A, mon capitaine, mille pardons*, dewch i mewn ar ffrwst
rhag y lluwch: diriaid yw'r dyddiau, a hyd nes yr elo'r
aflwydd heibio, di-lun fai croeso'r moesgaraf gŵr.'

A gwir a ddywedai: rwy'n cofio y pwysai'r tŷ
uwch cwm serth a dirgel gan binwydd tywyll, ar lethr glaer,
yn blasty heb hud hynafiaeth, o gerrig
llwydion nadd, cadarn fel ystum bendant un a fu
ar feini'n breuddwydio, nes gwirio'i freuddwyd yn gaer
a theml i'w galon gyfrin rhag y duwiau dig.

Cerddais dros drothwy gwesteiwr anfoddog felly.
'Clywais y bu,' ebr ef, 'yn y bryniau frwydr faith
mewn ystorom eira dridiau bwy gilydd:
gorffwys a fyn buddugwyr drycin a dyn, a llety
i'r lluddedig: ond syr, gwae ni o'r graith
a gawsom ninnau, a'r fflangell wybrennol i'n ffydd.

'Rhyfel nid erbyd heddiw mo'r diamddiffyn dlawd;
o'r awyr bell daw'r difrod dirybudd yn hyrddiau
o ddur a thân mwy deifiol na ffrewyll
Duw dialedd. A fynnech-chi weled cellwair ffawd
â phob hawddgarwch?' Trodd yn ddi-serch at y grisiau
a'm galw i'w ganlyn i fyny yn yr hanner gwyll.

Trwy'r ffenestri eang di-wydr, brathai'r dwyreinwynt
a chwydu plu'r eira ar garped a drych a chist:
ar gwrlid drudfawr y gwely, taenwyd
amdo anhygar y gogledd gwyn a pharlys y rhewynt.
Mor isel y deuai griddfan y gŵr i'm clyw: 'C'est triste!'
Trist! O stafell i stafell chwyrlïai'r malltod llwyd.

Ond meddwn innau, 'Awn i'ch stafelloedd byw.' Mewn ing
edrychodd arnaf, a throi heb air, a'm tywys ymaith
yn ôl i'r grisiau noeth a'r neuadd. Mydrai
yn awr f'esgidiau ar y llawr coed drymder dreng,
ond ysgafn y camai ef mewn urddas digydymaith,
unig, fel claf anhyblyg a fyn farweiddio'r clai.

Pan agorodd y drws di-sylw, llamodd y lleufer
llon i'n cofleidio, a'r gwres i'n hanwesu: o'i sedd
esmwyth ger y tân haelionus, cododd
gwraig yn syn, a gloywai arnom lygaid llawn pryder,
a 'Madam,' ebr f'hebryngydd, 'boed lawen dy wedd;
milwr sydd yma, dieithryn a gais, nid o'i fodd,
loches gennym i'w flinder.' Plygodd hithau'i phen
ond ni ddywedodd ddim. Rwy'n cofio bod delw'r Crist
ar y mur yn crogi trwy'r tawelwch:
yng ngolau'r fflam lamsachus, tywynnai, gwelwai'r pren
fel pe bai'r gwaed yn hercian o'r galon ysbeidiol, drist.
Ac yna gwelais y piano pert, a'r llyfrau'n drwch
blith draphlith ar ei do. Yn biwis, chwiliais eu chwaeth;
a gwenu; 'Rhamantydd ydych, Madam, mi wela' 'n awr;
Liszt – a Chopin: rhwng Ffrainc a Phwyl bu llawer
cynghrair, mi wn: ni pherthyn i fiwsig ffiniau caeth
dadrith ein daear ni.' A gwelais y dagrau mawr
yn ei llygaid hi'n cronni, fel llenwi llyn â sêr.

O'r ffŵl anhyfedr na welswn mo'u cyfrinach! Ef
a lefarodd gyntaf. 'Fy nghyfaill, maddeuwch i ni
ein moes ansyber; galarwyr ydym
am na ddaw'r cerddor mwy, byth mwy yn ôl tua thref;
ni fynnem rannu'n poen â neb.' Safem yn fud ein tri,
nes i'r gŵr droi at y piano fel pe'n herio'i rym.

Am ennyd, eisteddodd yno, ar wylaidd weddi
cyn cyrchu'r gerdd: yna llifodd y miwsig graslon
o'i law, yn breliwd a dawns a chân mor chwerw brudd,
mor llawen ddiofal a mwyn a llawn tosturi
nes suo'r sain yn gymundeb lle rhodiai angylion
gan freinio'n briw a gosod ein horiau caeth yn rhydd.

HEDD WYN

1

Y bardd trwm dan bridd tramor, – y dwylaw
Na ddidolir rhagor:
Y llygaid dwys dan ddwys ddôr,
Y llygaid na all agor.

Wedi ei fyw y mae dy fywyd, – dy rawd
Wedi ei rhedeg hefyd;
Daeth awr i fynd i'th weryd,
A daeth i ben deithio byd.

Tyner yw'r lleuad heno – tros fawnog
Trawsfynydd yn dringo;
Tithau'n drist a than dy ro
Ger y ffos ddu'n gorffwyso.

Trawsfynydd! Tros ei feini – trafaeliaist
Ar foelydd Eryri;
Troedio wnest ei rhedyn hi,
Hunaist ymhell ohoni.

2

Ha frodyr! Dan hyfrydwch – llawer lloer
    Y llanc nac anghofiwch;
    Canys mwy trist na thristwch
    Fu rhoddi'r llesg fardd i'r llwch.

Garw a gwael fu gyrru o'i gell – un addfwyn,
    Ac o noddfa'i lyfrgell;
    Garw fu rhoi'i bridd i'r briddell,
    Mwyaf garw oedd marw ymhell.

Gadael gwaith a gadael gwŷdd, – gadael ffridd,
    Gadael ffrwd y mynydd;
    Gadael dôl a gadael dydd,
    A gadael gwyrddion goedydd.

Gadair unig ei drig draw! – Ei dwyfraich,
    Fel pe'n difrif wrandaw,
    Heddiw estyn yn ddistaw
    Mewn hedd hir am un ni ddaw.

PARC YR ARFAU

Daear hud yw'r erw hon,
Cartre cewri'r tair coron,
Lawntre werdd gan olion traed
Ac ehofndra'u hysgafndraed.

Cae irlas y tîm sgarlad
A ffiol hwyl hoff y wlad,
Lle mae'r anthem a'r emyn,
Gwaedd 'Hwrê!' â gweddi'r un.
Meca'r gêm yw cyrrau gwyrdd
Stadiwm y llawr gwastadwyrdd.

Daear werdd wedi'i hirhau
Â gwlith buddugoliaethau,
Nas gwywa naws y gaeaf
Na'i hirder yn nhrymder haf.
Aitsh wen ar ddeupen y ddôl
A chennin ar ei chanol,
A chwerwedd llawer chwarae
Yn fyw'n y cof yn y cae.

Moled un wlad ei milwyr
A dewrion doe â'r dwrn dur
Yn dwgyd trefedigaeth
Rhyw ddiniwed giwed gaeth,
Ac arall rin ei gwirod –
Pan fo gwerin Dewi'n dod
Mân us yw pob dim a wnaeth
Ym mrwydrau'i hymerodraeth,
Yma'n y gwynt mae hen go',
A hen sgôr eisiau'i sgwario.

Ow'r ias, pan welir isod
O'r twnnel dirgel yn dod
Grysau coch i groeso cân,
Hanes hysbys y sosban,
Ac arianfin gôr enfawr
Yn wal am faes y Slam Fawr!

Y mae'r gân sy'n twymo'r gwaed
Yn ein huno'n ein henwaed,
A chytgan y cylch hetgoch
Yn werth cais i'r rhithiau coch.

Byr gord y pibiwr gwyn
A phêl uchel i gychwyn,
Ac ar un naid mae'n gwŷr ni
Fel un dyn draw odani.
Wyth danllyd ddraig, wyth graig gre'
Nas syfl un dim o'u safle,
A nerth eu gwth yn darth gwyn
O'u mysg yn cyflym esgyn –
Eisiau'r bêl i'r maswr bach
Na bu oenig buanach,
Oni red fel llucheden
Yr asgell i'r llinell wen.

Ond ow'r boen – mae meistr y bib
Yn ein herbyn â'i hirbib!
A'i ateb – cic, myn cebyst,
Yn enw pawb, dan ein pyst!
O Dduw, y Sais diddeall!
O, iolyn dwl, ow'r clown dall!

Y ddwystand fawr yn ddistaw
Ac ar deras diflas daw,
Nes tyr yr agos drosiad
Yn si hir, ddwys o ryddhad.

Oerfawrth ar Barc yr Arfau –
Sawl gwaith bu i'r 'heniaith barhau'.
Rhwydd y cariodd y cewri,
Curo Ffrainc a'r refferî.
Mae'u henwog gamp mwy'n y co',
A'r nawn 'yr own i yno'.

GLANNAU

Roedd ein haelwyd yn ynys ddiddan
pan oedd hi o gwmpas ei phethau,
cyn i'r Erydwr mawr
gnewian y glannau
o filfedd i filfedd.

Aeth ei llestr i'r môr agored
toc wedi oed yr addewid;
daeth rhyngom gulfor
a ledai beunydd.
Roedd hi 'dan hwyliau aflonydd'
a'r estyll yn braenu,
yn cyniwair fel y *Marie Celeste*
dros yr ehangder mawr
ac weithiau braidd-gyffwrdd â glan.

Y pryf yn y rhuddin hen
a heli ei byw yn y briwiau.
Nhad ar ei wely olaf
yng nghrafangau'r cancr;
hithau yn ddiamgyffred
am y pared poenus,
hi a fu'n nyrs i bawb
yn gwylad pob ymadawiad du
yn ein teulu ni;
ei hangorion yn llacio eisoes
a'r glannau'n pellhau
ac yntau yn trafaelu angau.

'Dai, ble ŷch-chi Dai?'

'Ma' Dai wedi marw
(Nhad oedd Dai),
Fi sy 'ma.'

Ni ddeil angor ei doe
Wrth y pethau cynefin.

'Antur enbyd ydyw hon.'

Llong hwyliau oedd hi
o weithdy troad y ganrif
cyn dyfod ager
i esmwytho ysgwydd a meddalu llaw.

Bellach
ar drugaredd y gwyntoedd
a'r cerrynt croes;
weithiau'n crafangu glan,
y graig yn rhoi
a'r tywod yn llithro,
broc môr.

Ymrwyfo, rhwyfo i rywle,
codi o'i chadair,
cynhyrfu, simsanu, syrthio:
dau fyd, dwy lan
a rhyngom y môr,
weithiau'n ferw, weithiau'n falm
a glanio didario ar dro.

Y prynhawn hwnnw,
ar ganiad y ffôn,
synhwyro bod y dadfeilio ar daith
ac erydu'r blynyddoedd
wedi gwahanu'r ddwylan.

Arhosaf yma
i warchod y porthladd
a disgwyl y dychwelyd prin
i'r glannau hen,
y glannau ysbeidiol, bregus
sy'n aros
o gyfandir dyfal y gofal gynt.

Dyddiau, nosweithiau Trapistaidd.
Disgwyl am fflach y goleudy
ar ryw benrhyn pell,
i oleuo'n cyfathrach;
disgwyl a dim yn digwydd.

$\star$ $\star$ $\star$

Dyma'r hen ast:
tynnu llaw yn beiriannol drosti;
dyma hafan, dyma lan
dros dro. Darn o gnawd
diriaethol, byseddol, byw.
'Dere Daisy fach'
yn brathu'r distawrwydd
a'r hen ast yn gwybod,
yn ei chusanu fel plentyn,
yn pawennu'n dyner
ac aros hydoedd
a'i dwydroed flaen yn ei chôl.

Cymundeb dilafar
Y dwylo gwythiennog, gwyw.

Y crebwyll digwmpawd
nôl gartref
yn hafan ei gorhoffedd,
creaduriaid gwâr:
o'r cerrynt creulon

o raean y rhydwelyau
o silt y senilfor:
hwnnw a holltodd y ddwylan.
Mae'r seiat drosodd;
plygu eilwaith
yn farc cwestiwn at y tân,
i'r mudandod mawr
a'i thraed yn ffosiliau ar y mat.

Gwely a chadair,
cadair a gwely,
pendilio parhaus
am saith mlynedd.
Dwy therapi wen ar y garthen
yn dafodau tirion
yn gotiau esmwyth,
yn belenni agos;
cathod cymdogol yr ystafell gystudd,
dwylan gynefin i gwrs y lli.

'Trw bach, dere'r hen fuwch',
codi llaw ar ei gyrr ddychmygol,
y llaw na all mwyach
ffrydio llaeth ewynnog
rhwng bys a bawd.

Rhoed iddi 'gilfach a glan'.

★   ★   ★

Ryw ddydd annisgwyl
rhoes ei throed ar y Graig,
o'r 'dyfroedd mawr a'r tonnau'.
O ddydd i ddydd
ac o nos i nos
ffrwydrad eneidiol mawr;
canu emyn ar emyn,
y cof a gollwyd yn cofio

oedfaon ieuenctid
a'r emynau nas dilewyd
o dapiau'r ymennydd.

Eu hadrodd nhw yn rhibin-di-res
un ar ôl y llall, o hyd ac o hyd;
'Pa le? Pa fodd dechreuaf?...'
'Wele cawsom y Meseia...'
'Iesu, Iesu, rwyt ti'n ddigon...'
yn golchi i'r lan
yn angerdd mawr.

Unwaith eto
yn yr ysgol gân
a'r gymanfa
yng nghwmni Pantycelyn ac Ann
a'r porthmon o Gaio.

Hen eiriau cynefin
ond bu raid i mi chwilio'r mynegai
i adnabod David Charles
ar ei gwefus hi:
'O Arglwydd da argraffa
Dy wirioneddau gwiw...'

Daear gadarn
dan ei thraed
yn y cofio hwn,
cyn i'r nawfed ton
ei sgubo i ddifancoll;
hi, yr aethai marsiandïaeth
ei byw beunyddiol
yn angof dan yr howld.
Daeth yn ôl i minnau
ei mawl soniarus gynt
uwch y badell lestri,

cyn y dyddiau blin,
a'r llais soprano
yn cwafrio yn y beudy.

Darn o'r tirlun gynt
yn ymrithio o'r mwrllwch
ar radar y cof.

Yn ddirybudd
un bore
caewyd cloriau emynau'r cof;
gadael glan a throi eto
i fudandod y môr.

Wedi i'r geiriau
gymryd aden
tariai'r hen donau cyfarwydd;
wedi uwd, wedi taenu'r gwely,
yn glyd fel plentyn,
hymian persain o'r llofft:
seiniau Caliban ei bychanfyd
ar lannau hud
ynysoedd yr is-ymwybod.

Llyfiad swil ar y graean
cyn llithro eilwaith o'm gafael.

★   ★   ★

Glanio rhyw fore
Yn Lloegr fach y scŵl bôrd
ar ynys y plant;
mae bron pawb wedi marw
oedd arni hi.
Ffrwd o Saesneg
ar ei gwefus
fel yr hen wraig yn y Bala:

'Who are you?
Where have you been?
I don't know you?'

Hen ysgol wyngalch
y ffenestri uchel
wedi cau allan
yr heddiw cynefin.
Glywch-chi siant y lleisiau
ar rigol hen lwybrau
yn pwnio, yn pwnio
i'r cof
a byw
am bedwar ugain mlynedd
yn nyfnder ymwybod hen wraig?

Rhyfedd ei dilyn
hyd y glannau anghyfiaith hyn
a'r gwreiddiau pell
rhwng cerrig y traeth
yn fonologau hir.

Wyneb yn wên
am orig fer
ac islais o chwerthin meddal.
Pa ryw ddigrifwch ddoe
Sy'n ymgripio i'r cof?

'Jac y padi'n mynd i'r dre,
Iâr a cheiliog gydag e,
Canodd y ceiliog go-go-go,
Canodd y padi tali-ho.'
Mae hi'n ddifyr ar lannau Cymraeg
ynys y plant.

★   ★   ★

Ar y glannau hyn
nid oes cyfathrach:
wedi'r cur
wele Folokai.
Mae hi'n gorwedd
heb air nac ystum
yn y dryswig
ger y môr tawel.
Y llaw anwes yn llonydd,
sgrôl yr ysgol yn lân,
emyn a thôn
nid ŷnt mwy yn ei thir.
Yn ddiymadferth
ar y lan arall
gwyliaf yr oedi
'ar fin y distyll'
a gwybod
na ddychwel y llong.

Mi geisiaf estyn dwylo dros y môr.

'Mae Wil Glangors wedi marw'
'O wir.'
Dau air.
Minnau'n cofio ei stori
amdanynt bob calangaeaf
yn holi ei gilydd
'Wyt ti yn yr hen le eleni?'
Cwestiwn yn codi gwên,
a'r ddau yn eu hen lefydd
er hanner canrif
'Mae Wil wedi mynd'

'O wir'.

Mae sŵn y môr yn y gragen.

'Wyt ti'n cofio
pan oet ti'n groten o forwyn
yn Bryn – beth oedd e nawr?–
a'r feistres galed
yn dy lusgo wrth dy wallt
i lawr stâr storws?'

Dim ateb.

'Dai, odych chi yna, Dai?'
'Mae Dai wedi marw, Jane fach'.

Llithrai'r llong
o afael y glannau
i ru y môr
ar y penrhyn hwnnw.

Stafell yr ymennydd sy dywyll heno.

Roedd Ebrill wedi cysgu'n hwyr
a thridiau'r deryn du
heb gyrraedd.
Ni chanai'r gog
'yng nghoed y ffridd'
ond roedd·eira annhymig
yn ewyn gwyn
ar lannau'r gwanwyn
y noswyl honno.

'A'r môr nid oedd mwyach'.

MAE PETHAU WEDI NEWID, MR FROST
(*i Merêd*)

Byw yng nghefn gwlad:
mae rhywbeth rhyngof a thŷ haf;
gwn mai wal ydyw,
gefaill o garreg, ystlys wrth ystlys,
pared o briddfeini nad yw'n peri
poendod afiaith na ffrae;
ebe'r mab, rhwng ei frechdanau,
    'Tŷ pâr yw'n tŷ ni
a phobl drws nesa yw cymdogion –
wel, pwy yw'n cymdogion ni?'
Sobreiddir y sgwrs –
'a phwy yw fy nghymydog?'
Di-ddim yw'r ddiwinyddiaeth,
di-weld yw'r weledigaeth
    a ninnau'n ddigwmni;
cymdogion i'r rhododendron,
coed rhosod wrth ddrws y ffrynt.

Bu rhywun yno. Do,
gwraig ffeind a wenai –
ffenest car yn hwyluso'r ddisgwrsni.
Pipodd unwaith dros y clawdd
(a gadwn gyfuwch â'n lein ddillad),
rhoddodd *choc ices* i'r plant
a dychwelodd mor chwim
â'r Tiwbs: ei gwaith beunyddiol oedd casglu'r
tocynnau.

Ond daeth bwci wedyn. Un ceffylau:
troi'r tŷ haf yn dŷ go iawn
cyn troi'n ddigymwynas un noson
ar ei geffyl (a'i hen Jag).
Diflannodd i'r gwyll
gan adael tŷ a dyledion
a *juke* bocs crand yn y lolfa.

Mae hanner arall fy asen
yn wag o hyd. Hwyrach y daw
teulu neis a chanddynt
gŵn a phlant
ac y dysgant (wrth gwrs) y Gymraeg.
Diau y daw'r plant i wybod
bod enwau cyntaf i gymdogion.

Neu a ddaeth yr awr
inni fentro byw i'r dre
yn lle marw-fyw yn y wlad
fel y gallwn gasglu cymdogion
a theimlo calennig-bob-dydd caredigrwydd?

Tan hynny mae rhywbeth rhyngof a'r wlad,
rhywbeth rhyngof a thŷ haf:

Gwn mai wal ydyw.

Y CANOL LLONYDD DISTAW

Dal fi'n dynn . . . paid dweud dim . . .

Gwawriodd arnaf i o'r diwedd un o wersi Tao Te Ching
mai gwacter, llonydd a heddwch a distawrwydd sydd wrth
wraidd pob dim
    ond glywi di y cegau yn siarad?
    glywi di y lleisiau mor groch?
maen nhw'n debyg i minnau   yn malu awyr
yn debyg i chdithau   yn f'ateb innau
'dan ni'n swnio fel miloedd   o wenyn prysur
weithia' fel storom   o fellt a thranau.

Dal fi'n dynn . . . paid dweud dim . . .
    Dwi'n chwilio am y canol llonydd distaw
    sy' ynof fi fy hun ac ynghanol pob dim,
    chwilio am y gwacter mawr a hyfryd
    ynom ni i gyd yn llonydd fel llyn

'Dan ni'n hau hadau, medi'r cnydau   Daw tymor arall i aredig
Gobeithio bod ni'n dysgu rywsut   Sut i fyw yn fwy caredig...
    weli di dy ffrindiau'n chwilio
    yng nghanol y wyneba' di-ri'
am un edrychiad,   un cyffyrddiad,
rhyw sylweddoliad,   darganfyddiad,
'dan ni angen edrych   i fyw llygaid ein gilydd
angen dinoethi   heb deimlo c'wilydd

Gwyn eu byd   y rhai sy'n noeth . . .
    Yn chwilio am y canol llonydd distaw
    sy' ynof fi fy hun ac ynghanol pob dim,
    chwilio am y gwacter mawr a hyfryd
    ynom ni i gyd yn llonydd fel llyn

Noson gynnes yng Ngorffennaf
                  yr haul yn machlud dros y ffin
ffrindiau wrth y bwrdd yn chwerthin
                        rhannu sgwrs a chaws a gwin
    mae y trefi mawr a'r dinasoedd
    yn pwyso'n rhy drwm arnom ni
'dan ni angen llwybr   mewn coedwig dawel
mwsog a nentydd,   mymryn o awel
angen gollwng   baich y geiriau
a chlywed ochenaid   y Fam Ddaear

Gwyn eu byd   yr addfwyn rai . . .
 Sy'n chwilio am y canol llonydd distaw
sy' ynof fi fy hun ac ynghanol pob dim,
chwilio am y gwacter mawr a hyfryd
ynom ni i gyd yn llonydd fel llyn

BRAWDDEGAU WRTH GOFIO HIRAETHOG

noswyl o haf oedd hi
yr oeddent i gyd yno
o yr wyf yn eu cofio meddaf wrthych

hen bobol nad ydynt yr awr ddeifiol hon
ond gwefusau carpiog yn y gwynt
a'r lleill
y calonnau aeddfetgoch
a'u chwerthin yn deilchion yn y brwyn
a'r gwallt ar chwâl

ble mae'r lleisiau llaeth a fu'n llifo
trwy'r briws a'r bwtri a'r beudy

a'r chwerthin yn deilchion yn y brwyn

ble mae'r llygaid crynion
a ddiflannai mewn cwmwl o chwerthin

gweddïais am gael bod yn un o'r merlod
ar fynydd yr oerfa am byth
byddai'n andros o oer yn y gaea wrth gwrs
meddai jo gan chwerthin
rhyfedd bod ei lais y munud hwnnw fel cloch

noswyl haf oedd hi
yr oeddent i gyd yno
ymdroellai'r gwynt yn ddiog drwy'r ŷd

o yr wyf yn eu cofio meddaf wrthych

GLAS

Pan oedd Sadyrnau'n las,
a môr yn Abertawe'n rhowlio chwerthin
ar y traeth,
roedd cychod a chestyll a chloc o flodau
yn llanw'r diwrnod;
a gyda lwc,
ymdeithiem yn y pensil coch o drên
a farciai hanner cylch ei drac
rownd rhimyn glas y bae
i bwynt y Mwmbwls.

Eisteddem ar y tywod twym
yn yfed y glesni,
ein llygaid newynog yn syllu'n awchus
ar fwrdd y môr,
Dilynem ddartiau gwyn y gwylain aflonydd
yn trywanu targed y creigiau,
a sbiem yn syn
ar y llongau banana melyn o'r Gorllewin
a sglefriai'n ara dros y gwydr glas,
a gorffwys dan y craeniau tal
a grafai'r wybren glir
uwchben Glandŵr.

Rhain oedd Sadyrnau'r syndod,
y dyddiau glas,
a ninnau'n ffoaduriaid undydd, brwd,
yn blasu'n rhyddid byr
o ddyffryn du
                    totalitariaeth glo.

RAS

Dau yn unig oedd yn y ras,
Sammy Rose Bank a Ned Tŷ Glas.
Traed chwarter-i-dri
Ned Bach aeth â hi,
Er 'u bod nhw mewn clocsia'
A thylla' yn y gwadna',
Ac er bod 'i goesa, druan o Ned,
Mewn hen drowsus i'w dad, un melfaréd,
A hogyn Rose Bank
Yn goblyn o lanc
Efo'i sana'-beic
A'i esgidia speic.

Pedwerydd oedd Sam.

'Y? Be'?
Ped-? Pe-?
Yr hen lolyn, gwranda,
Dos yn d'ôl i'r dechra'.
Pwy ddwedaist ti gynna' oedd yn y ras?'

Dim ond Sammy Rose Bank a Ned Tŷ Glas.

'Dau. Dim ond dau i gyd.
Felly, sut yn y byd . . .'

Yn y byd, be'?

'Y mae 'na le
I stwnsian am drydydd,
Heb sôn am bedwerydd.
Doedd ond dau yn rhedeg . . .'

'Waeth hyn'na na chwaneg,
Pedwerydd oedd Sam.

'Ond gwranda, go fflam,
Dau yn unig oedd yn y ras . . .'

Sammy Rose Bank a Ned Tŷ Glas.

'Ia, ia, mi wn i hynny,
Sammy Rose Bank a Ned, ac felly . . .'

Pedwerydd oedd Sam.

'Ond gwranda, y dyn,
'Wna dau a dim un
Ddim pedwar
Un amsar...'

Pedwerydd oedd Sam.
Roedd 'i dad a'i fam
Yn rhedeg bob cam
Wrth ochor 'u Sam.
Roedd 'i Dadi a'i Fami
Fel arfer efo Sami,

A phedwerydd oedd Sam.

Y GEGIN GYNT YN YR AMGUEDDFA WERIN

Araf y tipia'r cloc yr oriau meithion,
distaw yw'r dröell wedi'r nyddu'n awr,
tawel yw'r baban dan ei gwrlid weithion,
nid oes a blygo tros y Beibl mawr.
Mae'r dresal loyw yn llawn o lestri gleision,
a'r tsieini yn y cwpwrdd bach i gyd,
ffiolau ar y ford yn disgwyl cwmni'r gweision,
a'r tecell bach, er hynny, yn hollol fud.
A ddowch chi i mewn, hen bobol, eto i'ch cegin,
o'r ffald a'r beudy llawn, o drin y cnwd?
(Brysia, fy morwyn fach i, dwg y fegin
i ennyn fflamau yn y fawnen frwd.)
Nid oes a'm hetyb ond tipiadau'r cloc,
ai oddi cartref pawb?...*dic doc, dic doc.*

Y GYMRAEG

Ti sy'n fy rhwymo wrth y tiroedd mwyn
Ac wrth dreftadaeth na all neb ei dwyn;
Dy briod-ddulliau sydd fel clychau clir
I'm galw'n daer at wleddoedd bras fy nhir.

Ti ydyw'r ynni sydd yn corddi 'ngreddf
A'r garreg ateb i bob llon a lleddf;
Ni waeth pa le yr af mae 'nhynged i
Yng ngwe annatod dy rywiogrwydd di.

Ti sy'n cyffroi yn f'enaid ddyfnder cudd,
A thrwot beunydd y daw bwrlwm ffydd;
Mae miwsig dy acenion ar fy nghlyw
Fel galwad ddiosgoi pob dechrau byw.

Ti sy'n trysori rhin y dyddiau gynt
A'r hoen sydd heddiw'n afiaith yn y gwynt;
Os bydd fy sêl i'th arddel 'fory'n llai,
Maddeued Crëwr pob rhyw iaith fy mai.

PAM FOD EIRA'N WYN

Pan fydd haul ar y mynydd,
Pan fydd gwynt ar y môr,
Pan fydd blodau ar y perthi,
A'r goedwig yn gôr;
Pan fydd dagrau f'anwylyd
Fel gwlith ar y gwawn,
Rwy'n gwybod, bryd hynny,
Mai hyn sydd yn iawn –

Pan fydd geiriau fy nghyfeillion
Yn felys fel y gwin,
A'r seiniau mwyn, cynefin,
Yn dawnsio ar eu min,
Pan fydd nodau hen alaw
Yn lleddfu fy nghlyw,
Rwy'n gwybod beth yw perthyn
Ac rwy'n gwybod beth yw byw!

Pan welaf graith y glöwr,
A'r gwaed ar y garreg las,
Pan welaf lle bu'r tyddynnwr
Yn cribo'r gwair i'w das.
Pan welaf bren y gorthrwm
Am wddf y bachgen tlawd,
Rwy'n gwybod bod rhaid i minnau
Sefyll dros fy mrawd.

Rwy'n gwybod beth yw rhyddid,
Rwy'n gwybod beth yw'r gwir,
Rwy'n gwybod beth yw cariad
At bobol ac at dir;
Felly peidiwch â gofyn eich cwestiynau dwl,
Peidiwch edrych arna' i mor syn;
Dim ond ffŵl sydd yn gofyn
Pam fod eira'n wyn.

DYSGUB Y DAIL

Gwynt yr hydref ruai neithwr,
　　Crynai'r dref i'w sail,
Ac mae'r henwr wrthi'n fore'n
　　Sgubo'r dail.

Yn ei blyg uwchben ei sgubell
　　Cerdd yn grwm a blin,
Megis deilen grin yn ymlid
　　Deilen grin.

Pentwr arall; yna gorffwys
　　Ennyd ar yn ail;
Hydref eto, a bydd yntau
　　Gyda'r dail.

PONT MENAI

Uchelgaer uwch y weilgi, – gyr y byd
    Ei gerbydau drosti:
Chwithau, holl longau y lli,
    Ewch o dan ei chadwyni.

IAWN, GEI DI OFYN CWESTIWN PERSONOL
('*Sure, you can ask me a personal question*' – *Diane Burns*)

S'mai?
Na, dydw i ddim yn Wyddel.
Na, nid Llychlynwr.
Na, dwi'n Gymro, yn Gymro Cymraeg.
Na, nid o'r Iseldiroedd.
Na, nid o Cumbria.
Na, nid Sais.
Na, dydan ni ddim wedi darfod amdanom.
Ia, Cymro.
Oh?
Felly dyna lle gest ti'r acen yna.
Dy hen hen nain, huh?
Tywysoges Gymreig, huh?
Gwallt fel Nia Ben Aur?
Tyd i mi ddyfalu. O sir Fôn?
Oh, felly roedd gen ti ffrind oedd yn Gymro?
Mor agos â hynny?
Oh, felly roedd gen ti gariad oedd yn Gymro?
Mor dynn â hynny?
Oh, felly roedd gen ti forwyn oedd o Gymru?
Cymaint â hynny?
Oedd, roedd hi'n ofnadwy be wnaethoch chi i ni.
Rwyt ti'n garedig iawn yn ymddiheuro.
Na, wn i ddim lle gei di gawl cennin.
Na, wn i ddim lle gei di frethyn Cymreig yn rhad fel baw.
Na, nid fi wnaeth hwn. Fe brynais i o yn *Next*.
Diolch i ti, dwi'n licio dy wallt ti hefyd.
Dwn i ddim os oes rhywun yn gwybod ydi'r Edge yn
                                        Gymro go iawn.

Na, wnes i ddim cynganeddu cyn brecwast.
Na, fedra' i ddim canu cerdd dant.
Na, dydw i ddim mewn côr meibion.
Wnes i rioed chwarae rygbi na gweithio mewn pwll glo.
Ia, Uh-huh, yr awen.
Uh-huh. Ia. Yr awen. Uh-huh. Y Fam
Ddaear. Ia. Uh-huh. Uh-huh. Yr awen.
Na, wnes i ddim gradd yng ngwaith Dylan Thomas.
Oes, mae 'na lawer ohonon ni yn yfed gormod.
Feder rhai ohonon ni ddim yfed digon.
Nid wyneb lleiafrifol mo hwn.
Fy wyneb i ydi o.

LLONGAU MADOG

Wele'n cychwyn dair ar ddeg
O longau bach ar fore teg;
Wele Madog ddewr ei fron
Yn gapten ar y llynges hon.
Mynd y mae i roi ei droed
Ar le na welodd dyn erioed;
Antur enbyd ydyw hon
Ond Duw a'i deil o don i don.

Sêr y nos a haul y dydd
O gwmpas oll yn gwmpawd sydd;
Codai corwynt yn y de
A chodai'r tonnau hyd y ne';
Aeth y llongau ar eu hynt,
I grwydro'r môr ym mraich y gwynt;
Dodwyd hwy ar dramor draeth
A fyw a bod er gwell er gwaeth.

Wele'n glanio dair ar ddeg
O longau bach ar fore teg;
Llais y morwr glywn yn glir,
'Rôl blwydd o daith yn bloeddio 'Tir!'
Canant newydd gân ynghyd
Ar newydd draeth y newydd fyd,–
Wele heddwch i bob dyn
A phawb yn frenin arno'i hun.

MIN Y MÔR (Detholiad)

Gwelais long ar y glas li
Yn y gwyll yn ymgolli;
Draw yr hwyliodd drwy'r heli.
Â rhywun hoff arni hi;
Düwch rhiniol dechreunos
Ledai'i law dros ei hwyl dlos,
A throai liw y llathr len
Ail i arlliw elorllen;
Troi ymaith i wlad dramor
Wnaeth er maint alaethau'r môr;
Ond hi ddychwel trwy'r heli
Â rhywun hoff arni hi;
Daw er oedi hir adeg
Adre o'r dŵr rhyw awr deg;
Hwylia'r llong yn ôl o'r lli –
Dawnsia'r don asur dani;
Daw yn ôl o dan heulwen,
A'r awel iach ar hwyl wen;
A daw gwynfyd eigionfor
I minnau mwy ym min môr.

Y CYNHAEAF (Detholiad)

Pan ddelo'r adar i gynnar ganu
Eu halaw dirion i'm hail-hyderu,
A phan ddaw'r amser i'r hin dyneru,
I braidd eni ŵyn, i briddyn wynnu,
Af innau i gyfannu – cylch y rhod,
Yn ôl i osod a'r ddôl yn glasu.

A rhof fy ngofal i ddyfal ddofi
Gerwinder cyson gywreinder cwysi,
I roi yn addod ei chyfran iddi
O'r wledd y llynedd a roes i'm llonni;
Y ddôl a'm cynhaliodd i – â'i lluniaeth,
I hadu'i holyniaeth hyd eleni.

Bu hen werydu uwchben yr hadau,
Yn y mân bridd y mae tom hen breiddiau,
Ac yno o hyd rhydd sofl hen gnydau
I eginyn ifanc egni hen hafau,
Cynhaeaf cynaeafau – sydd yno,
Yn aros cyffro y gwres i'w goffrau.

Bu hen gyfebron yn ei ffrwythloni
Â'u hachles cynnes, ac yna'n geni
Eu lloi a'u hŵyn yng nghysgod ei llwyni
Yn gnydau gweiniaid, gan eu digoni
Â llaeth ei chynhaliaeth hi, – nes dôi'n rhan
I fychan egwan ei hun feichiogi.

Lle bu 'nhadau gynt yn rhwymyn trymwaith
Yn cerdded tolciau ar ddiwyd dalcwaith,
Mae'r pridd yn ir gan hen gerti'r gwrtaith,
Ac yn llifeirio gan eu llafurwaith,

Ac mae cloddiau goreugwaith – eu dwylo
Eto yn tystio i'w saff artistwaith.

Tybiaf y clywaf yn sgrech aflafar
Y gwylain a'r brain sydd ar y braenar,
Gyson bladuriau hen ddoeau'r ddaear,
Yn troi'u hystodau lle'r oedd trwst adar
Yn hinon yr haf cynnar, – a gwrando
Eu llyfn welleifio'n fy llyfnu llafar.

Ac yn fy ffroenau yn donnau danaf,
O dreigl y pridd daw arogl pereiddiaf
Crinwair yn hedfan pan dorrid gwanaf
Yn sglein y gawod ar nos G'langaeaf,
A hir res o fuchod braf, – drwyn am drwyn,
Wrth awen ei haerwy'n tarthu'n araf.

O'm gorsedd uchel dychmygaf weled
Eu lloi chwaraegar yn llwch yr oged,
A graen bwyd mâl ar gwarteri caled
Eidion ieuanc a buwch a dyniawed,
A thew yn eu caethiwed – y bustych
Ar ddilyw gorwych o'r ddôl agored.

Rwy'n gweled eto gwmni cymdogol
Y fedel araf a'i dwylo heriol,
Yn codi teisi yr hen grefft oesol
O'i rhwym ysgubau'n batrymus gabol,
Ac ar bob min werinol – yr hen iaith,
Yn nillad gwaith ei hafiaith cartrefol.

Gweld campwaith cywreinwaith helmwr cryno,
Bôn-i-linyn wrth araf benlinio,

A chloi saernïaeth uchel siwrneio
Ei gylchau haidd yn ddiogelwch iddo,
Yn gaer o gnwd rhag oer gno'r gaeafwynt,
A newyn dwyreinwynt pan drywano.

Gwaddol eu hirder sy'n glasu f'erwau
A hil eu hŵyn sy'n llenwi 'nghorlannau,
Ffrwyth eu hir ganfod yw fy ngwybodau,
Twf eu dilyniant yw fy ydlannau,
A'u helaethwch haul hwythau, – o'i stôr maeth,
Yn eu holyniaeth a'm cynnal innau.

CRAFANGAU

Er i'r blynyddoedd syrthio fesul un
　　I seler tragwyddoldeb yn eu trefn,
Ac er i'r atgof lwydo fel hen lun
　　Yn hongian yn y llwch mewn cegin gefn;

Er bod y cyrff i gyd yn glyd mewn bedd
　　A'r esgyrn yn gorweddian yn y gro,
Er difa'r oriau i gyd a'u cloi mewn hedd
　　A chadw'r seirff mileinig oll dan glo:

Bob tro mae'r tân yn cyrraedd pen ei daith
　　Mae hen wynebau yn y marwor coch,
Ac ar wastadedd eangderau maith
　　Y nos, mae'r gwynt yn deffro'r lleisiau croch,

Ac nid oes ffoi rhag y crafangau dur
Sy'n cydio oes wrth oes a chur wrth gur.

DRAMA'R NADOLIG

Defod, ar y Nadolig, yw fod
Plant y festri, y bychain,
Yn cyflwyno yn ein capel ni
Ddrama y geni.

Bydd rhai oedolion wedi bod wrthi
Yn pwytho'r Nadolig i hen grysau,
Hen gynfasau, hen lenni
I ddilladu y lleng actorion.

Pethau cyffredin, hefyd, fydd yr 'anrhegion':
Bydd hen dun bisgedi,
O'i oreuro, yn flwch 'myrr';
Bocs te go grand fydd yn dal y 'thus';
A daw lwmp o rywbeth wedi'i lapio,
Wedi'i liwio, yn 'aur'.
Bydd yno, yn wastad, seren letrig.

Bydd oedolion eraill wedi bod yn hyfforddi angylion,
Yn ceisio rhoi'r doethion ar ben ffordd,
Yn ymdrechu i bwnio i rai afradlon
Ymarweddiad bugeiliaid,
Ac yn ymlafnio i gadw Herod a'i filwyr
Rhag mynd dros ben llestri –
Oblegid rhyw natur felly sy ym mhlant y festri.
Bydd Mair a bydd Joseff rywfaint yn hŷn
Na'r lleill, ac o'r herwydd yn haws i'w hyweddu.
Doli, yn ddi-ffael, fydd y Baban Iesu.

O bryd i'w gilydd, yn yr ymarferion,
Bydd cega go hyll rhwng bugeiliaid a doethion,
A dadlau croch, weithiau, ymysg angylion,
A bydd waldio pennau'n demtasiwn wrthnysig
I Herod a'i griw efo'u cleddyfau plastig.
A phan dorrir dwyster rhoddi'r anrhegion
Wrth i un o'r doethion ollwng, yn glatj, y tun bisgedi
Bydd eisiau gras i gadw'r gweinidog rhag rhegi.

Ond yn y cariad fydd rhwng y muriau hynny
Ar noson y ddrama, bydd pawb yn deulu;
Bydd diniweidrwydd gwyn yr actorion
Yn troi'r pethau cyffredin yn wyrthiol, yn eni,
A bydd yn ein nos, yn ein tywyllwch, y seren letrig
Yn cyfeirio'n ôl at y gwir Nadolig,
At y goleuni hwnnw na ellir mo'i gladdu.
Ac ynghanol dirni ac enbydrwydd byd sy'n gaeth dan rym Herod
Fe ddywedir eto nad yw Duw ddim yn darfod.

W. J. GRUFFYDD (ELERYDD)

FFENESTRI (Detholiad)

Nid oes o Fwlch y Gwynt
Ond Tôn-y-Botel daith i sgwâr Ffair Rhos
Cyn dringo'r filltir faith dros gefn y rhiw
I dir y Goron, lle mae'r brwyn a'r grug
Yn gwarchod hen adfeilion Pen Cwm Bach.

Cei weld tu hwnt i ysgwydd gref y Banc
Socedi yn ei fur heb wydr na phaen
Fel lle-bu-llygaid penglog ar y rhos
Yn rhythu dros y fawnog. Pan ddaw hud
Y cosyn slei dros wegil Esgair Garn
Fe dynget fod 'na rywun yn y tŷ
Wrth gludo cannwyll ei fusneslyd hynt
O'r gegin tua'r parlwr ar hir sgawt
Yn oedi wrth y ffenestr hyd nes daw
Cwmwl dros y lloer.

Ond yno mwy
Mae gwae a gwynfyd slawer-dydd ei gell
Yn rhwym wrth fachog gof y gwŷr a fu
Yn troi i'w drothwy ar brynhawn y glaw
Cyn mynd o'i denant olaf linc-di-lonc
Mewn hers-a-cheffyl rownd i dro'r Lôn Groes.

Tyrd draw i'r fagwyr lwyd dros Waun y Cwm.

Cei brofi'r gwefr a'r hiraeth yn dy waed
Wrth sbio drwy'r socedi gwag. Fe ddaw
I tithau ias wrth ddrachtio hen hen win
Gorffennol pell y dyfal fynd a dod
Ym Mhen Cwm Bach. Cyn cludo'r pridd i'r pridd

A chyn i Angau sbeitio'r sbarion byw
O falu'r hen gymdeithas ffraeth, a chloi
Y beddau coch.

★   ★   ★

Ar lannau Teifi mae ffenestri'r trên
Yn symud-wingo'n araf dros y gors
Fel neidr risial. Cilia'r chwiban clir
Dros ael y Mynydd Bach ar dawel hwyr
I dragwyddoldeb y tu hwnt i'r môr
Gan adael ar ei ôl dawelwch hir
Megis y tawelwch marw pan aeth o'r fro
Wŷr ifainc yn y trên i wynfyd pell
Y 'Sowth', gan adael ar eu hôl
Ddiflastod chwerw.

I'w hen gynefin dir
Fe ddaethant hwy yn ôl ar ambell sgawt
I ddilyn arch perthynas tua'r pridd,
Ac i chwedleua ar brynhawn o haf
Uwch malltod a malurion magwyr lwyd.

Tu hwnt i Fron y Berllan yn y cwm
Cei weld yr eglwys blwyf wrth dalcen mur
Mynachlog, a'i ffenestri-llygaid yn
Dyfal wylio yno fataliwn fud
Y meini, rhwng tŷ elor a Chae Corff.
Ond gwn wrth glust-ymwrando am y gŵyn
Sy'n dod o'r wedi-hen-galedu bridd
Fel lleisiau pell, a chlywaf yno wae
O dan dwmpathau barfog megis cri
Cwynfanus wynt.

'Nyni yw'r meirwon brau
Sy'n mallu ac yn pydru yn y baw
A'r llwch, er dydd ein claddu, 'slawer dydd.
Ni syllwn mwyach drwy ffenestri'r cnawd,
Ond gwêl ein pethau-nad-y'nt-lygaid, warth
Eich annibendod pan wfftiasoch grefft
Ein dwylo, ac nid oes ym Mhen Cwm Bach
Ond sgerbwd hagr ein cartref. Pam nad ewch
I godi cloddiau'r ffin, a thoi'r hen dŷ?

O'n cnawd y daethoch chwithau, ffyliaid hurt
Eich sbort a'ch gwawd; ni fynnwch sychu'r gors
Na chadw'r etifeddiaeth rhag y brwyn.
Rhoesoch yn ôl i'r mynydd waddol hallt
Ein chwŷs, a chludo llyfnion feini'r llawr
I'ch gerddi twt. Eich galanastra chwi
Ganfyddwn yn ein gwae yng nghae Pen Lôn.
Mae calon-galed ysgall ar y fron
Yn bwrw plant i gôl yr awel wynt
A defaid strae yn gawod wlân ar sgwlc
O'r ardd i'r ydlan, ond ni hidiwch chwi
Goegiaid y dwylo melfed.

Ym Methel bro
Nid oes ond gweddill fflat, yn cadw'r lamp
I losgi ar yr allor: yr un rhai
Sy'n diolch am fod dau neu dri yn cael
Ei gwmni Ef. Paganiaid ydych chwi!
Cedwch eich Beiblau llychlyd erbyn dydd
Yr angladd. Bellach rhowch eich papur punt
Yn rhent eich cadwedigaeth rhag i'r saint
Eich diaelodi.'

Daeth gwae i'r bryniau, ac nid oes ond cri
Y pridd yn llefain am y dwylo garw
A fu yma gynt. Hen ddwylo creithiog yn
Dadwreiddio'r chwyn a thrin y priddyn chwâl.
Bu Amser yn ei lid yn sicr a siŵr
Yn rhoi yn ôl i'r mynydd gaeau'r fro.

Daw ambell swyddog yn ei fodur gwych
Ar wib ar ddydd o haf i Ben Cwm Bach
I wfftio'r brwyn a'r eithin. A chyn troi
Yn ôl o'r bannau dros anwastad ffordd
Mae'n plannu swp o rug ar drwyn ei gar.

Gwyllt fynydd lle nad oes ond grug a brwyn
A thorf penfelyn eithin ar y fron
Yn diflas ysgwyd pen i bregeth sych
Y gwynt. A gwaedd cornchwiglen unig mwy
Yn erlid ei gormeswr dros y rhos.

'Oherwydd dringodd Angau i'r ffenestri . . .'

Y SIPSIWN

Gwelais ei fen liw dydd
Ar ffordd yr ucheldir iach,
A'i ferlod yn pori'r ffrith
Yng ngofal ei epil bach;
Ac yntau yn chwilio'r nant
Fel garan, o dro i dro,
Gan annos ei filgi brych rhwng y brwyn,
A'i chwiban yn deffro'r fro.

Gwelais ei fen liw nos
Ar gytir gerllaw y dref;
Ei dân ar y gwlithog lawr,
A'i aelwyd dan noethni'r nef:
Ac yntau fel pennaeth mwyn
Ymysg ei barablus blant –
Ei fysedd yn dawnsio hyd dannau'i grwth,
A'i chwerthin yn llonni'r pant.

Ond heno pwy ŵyr ei hynt?
Nid oes namyn deufaen du,
A dyrnaid o laswawr lwch,
Ac arogl mwg lle bu:
Nid oes ganddo ddewis fro,
A melys i hwn yw byw –
Crwydro am oes lle y mynno ei hun,
A marw lle mynno Duw.

Y DIWRNOD CYNTAF

Y diwrnod cyntaf hwnnw,
os nag dwi'n gwneud mistêc,
mi greodd Duw oleuni
ac wedyn cym'rodd frêc.

Ni chreodd ddim byd arall
ar y diwrnod cynta rioed;
dim chwyn nac anifeiliaid,
na dŵr na sêr na choed.

Ocê, fe wnaeth oleuni,
ond pwy oedd yma i'w weld?
Neb; ac felly dyma Duw'n
ei roi mewn jar ar seld.

Ac eistedd 'nôl wnaeth wedyn
i edmygu'i champwaith gwiw;
roedd creu goleuni'n eitha camp,
roedd wedi blino – ffiw.

Fe wyddai y byddai fory
yn ailafael yn y creu,
ond am heno fe gâi orffwys,
felly aeth 'nôl at ei gweu.

CWM PENNANT

Yng nghesail y moelydd unig,
  Cwm tecaf y cymoedd yw,—
Cynefin y carlwm a'r cadno,
  A hendref yr hebog a'i ryw:
Ni feddaf led troed ohono,
  Na chymaint â dafad na chi;
Ond byddaf yn teimlo fin nos wrth fy nhân
  Mai arglwydd y cwm ydwyf fi.

Hoff gennyf fy mwthyn uncorn
  A weli'n y ceunant draw,
A'r gwyngalch fel ôd ar ei bared,
  A llwyni y llus ar bob llaw:
Os isel yw'r drws i fynd iddo,
  Mae beunydd a byth led y pen;
A thincial eu clychau ar bwys y tŷ,
  Bob tymor, mae dwyffrwd wen.

Os af fi ar ambell ddygwyl
  Am dro i gyffiniau'r dref,
Ymwrando y byddaf fi yno
  Am grawc, a chwibanogl, a bref,—
Hiraethu am weled y moelydd,
  A'r asur fel môr uwch fy mhen,
A chlywed y migwyn dan wadn fy nhroed,
  A throi 'mysg fy mhlant a Gwen.

Mi garaf hen gwm fy maboed
  Tra medraf fi garu dim;
Mae ef a'i lechweddi'n myned
  O hyd yn fwy annwyl im:
A byddaf yn gofyn bob gwawrddydd,
  A'm troed ar y talgrib lle tyr,
Pam, Arglwydd, y gwnaethost Gwm Pennant
    mor dlws,
  A bywyd hen fugail mor fyr?

HARRI WEBB

COLLI IAITH

Colli iaith a cholli urddas,
Colli awen, colli barddas;
Colli coron aur cymdeithas
Ac yn eu lle cael bratiaith fas.

Colli'r hen alawon persain,
Colli tannau'r delyn gywrain;
Colli'r corau'n diasbedain
Ac yn eu lle cael clebar brain.

Colli crefydd, colli enaid,
Colli ffydd yr hen wroniaid;
Colli popeth glân a thelaid
Ac yn eu lle cael baw a llaid.

Colli tir a cholli tyddyn,
Colli Elan a Thryweryn;
Colli Claerwen a Llanwddyn
A'r wlad i gyd dan ddŵr llyn.

Cael yn ôl o borth marwolaeth
Gân a ffydd a bri yr heniaith;
Cael yn ôl yr hen dreftadaeth
A Chymru'n dechrau ar ei hymdaith.